美術は宗教を超えるか

宮下規久朗
佐藤　優

PHP

はじめに

美術は宗教と等しい。

人類のあらゆる芸術の源は宗教である。造形表現は洞窟壁画以降、信仰や呪術から生まれたものであり、いつの時代でも宗教と美術とは切り離せなかった。どんな文化圏においても、宗教芸術こそが芸術の中心であり、古い宗教は必ずや優れた芸術を伴っている。

日本美術でもっとも洗練されたのは仏教美術であり、西洋ではキリスト教と結びついて大きく発展してきた。具象的な造形を禁じたイスラムでも、建築や装飾に瞠目すべき芸術を達成している。

キリスト教美術の原点は、キリストがその顔を写したという聖顔布であった。これがイコン（聖像）の原型となって複製され、六世紀後半以降、その制作と崇敬が一般化したが、それらは聖書で禁じられた偶像とはちがって、神を見る窓としての機能をもつとされた。不可視の神はイコンを通して思い描き、祈ることができる。こうしてイコンは、聖と俗、精神と物質、彼岸と此岸をつなぐ媒介としての機能を果たしたのである。

やがてそこから、物語や説話を表すナラティヴ（説話表現）が生まれ、群像や動作、時間性や空間が表現されるようになる。七世紀の教皇大グレゴリウスが絵画を「文盲の聖書」と述べたように、美術は信者に聖書の内容を理解させて、信仰心を高めるのに寄与した。

ドイツの美術史家ハンス・ベルティンクは大著『像と信仰』（一九九〇年）で、古代から近世にいたる宗教美術の機能や観者の役割を精査し、ルネサンスにおいて「像」が「美術」に変化したとしている。中世以前の美術作品は芸術性よりも宗教性が重視され、ルネサンス以降は信仰的な価値よりも芸術的価値が重要になったのである。

十八世紀に啓蒙主義が台頭し、フランス革命以降、近代市民社会が到来すると教会の権威は低下し、社会が世俗化していった。教会や王侯に代わって市民がパトロンとなり、風景画や風俗画といった世俗ジャンルに人気が集まるようになる。日本でもっとも人気のある西洋美術である印象派はまさにそのような環境で登場したものであった。

　そして、物語よりも視覚的な造形性を追求するモダニズム美術に至って、宗教的な主題は表面的には姿を消す。しかし、美術における宗教性は、近代的な相貌の下に隠されただけであった。それらは伝統的な図像や共通の規範から離れ、作り手の個人的な宗教感情を反映するようになったのである。現代においてもなお、宗教は美術の最大の主題や動機となっている。

　真に優れた美術はいつの時代にあってもつねに宗教的であり、美術と宗教とは同じといってよいのだ。


　本書は、こうした美術と宗教、とくに西洋美術とキリスト教の関係について、ルネサンス、イコン、聖母、宗教改革といった主要なテーマを中心に、佐藤優氏と語り合ったものである。佐藤氏は周知のように、ロシア専門の外交官として活躍した経験と膨大な読書量に裏打ちされ、広く国際問題や歴史、社会全般についての鋭い論客であるだけでなく、キリスト教神学者として学識を極めており、あらゆる宗教に通じている。美術と宗教についてともに考える相手としてはまさに理想的な知の巨人といってよい。

私は『国家の罠』以来彼の著作に親しんでおり、とくに『はじめての宗教論』や『宗教改革の物語』といった神学関係の著書に大いに啓発された。美術史に偏っている私は、彼との対談によって視野を広げられ、知的な興奮を禁じ得なかった。対談はいつも盛り上がって思わぬ方向に発展し、時間を忘れて逸脱していったが、その膨大な記録をＰＨＰ研究所の編集部が統一性のある内容にまとめてくれたのが本書である。

美術は宗教を超えるだろうか。宗教は信仰する人にとって絶対的なものであり、美術よりも強力だといえるが、言葉によらない美術は個々の宗教を超えた普遍性を持っており、より広く開かれている。美術は誰にでも親しめるものだが、それを支えているのが宗教である。本書によって、美術や宗教について何らかの刺激を受け、さらなる興味を持っていただければ幸いである。

二〇二一年三月

宮下規久朗

『美術は宗教を超えるか』目次

第1章　「目に見えないもの」を見る

第2章 土着化したマリア信仰

第3章　破壊されるイコン

第4章 キリスト教絵画の見方、考え方

第5章　美術鑑賞は宗教行為である

編集協力　新川貴詩
装幀　秦 浩司
帯写真撮影　十文字美信
カバー画像　レオナルド・ダ・ヴィンチ《サルヴァトール・ムンディ》

序章

なぜ、いまルネサンスなのか

参照するモデルが同時代にない

佐藤　宮下さんのご著書『カラヴァッジョ　聖性とヴィジョン』（名古屋大学出版会、サントリー学芸賞）を読んでぜひ一度、詳しく話をしたいと思っていました。

宮下　光栄です。私も以前から、『国家の罠』（新潮文庫、毎日出版文化賞特別賞）など佐藤さんの外交論、インテリジェンス論に関する本を読んでいました。美術史家としては珍しく、やや保守系かもしれません（笑）。

佐藤　まず、一般に馴染みのある「ルネサンス」の話から始めたいと思います。二十一世紀の現在になぜこのテーマが浮上するのか、という点が重要だからです。

われわれはいま、コロナ禍の危機的状況に直面しています。国際的に見ても、アメリカではポピュリズムや自国優先などの「トランプモデル」が終焉しました。一方、議会制民主主義のモデルとされるイギリスも、ボリス・ジョンソン首相が新しいモデルを示しているわけではない。参照するモデルが同時代の世界に存在しない状況下で、ルネサンスのような復古維新的な現象が起きるのは自然なことでしょう。

東西冷戦の終焉前に、ドイツの哲学者ユルゲン・ハーバーマスが[※1]「未来としての過去」（『未来としての過去　ハーバーマスは語る』未来社、一九九一年）という表現を用いました。同時代の共時性からモデルが見出せない時代には、歴史を遡って通時性の視点でモデルを探すしかない、という意味です。したがって過去について語ることが、未来を語ることにつながる。

千差万別のルネサンス

宮下　ルネサンスの始まりについて、文学の世界では一三〇〇年代初めに『神曲[※2]』を著したダンテ・アリギエーリ（一二六五～一三二一年）やペトラルカ（一三〇四～一三七四年）、ボッカッチョ（一三一三～一三七五年）など、イタリアの三巨匠の活動が挙げられます。美術の分野では、一三〇〇年代は後期ゴシッ

※1 ユルゲン・ハーバーマス　一九二九年―、社会哲学者・フランクフルト学派の指導的理論家。他の著書に『ああ、ヨーロッパ』（岩波書店、二〇一〇年）など。

※2『神曲』　「地獄篇」「煉獄篇」「天国篇」の三部から成る長編叙事詩。世界文学最大の古典とされる。『神曲【完全版】』（河出書房新社、二〇一〇年）。

ク期に相当し、まだルネサンス期とは見なされません。

美術におけるルネサンスは一般に、一四〇〇年にイタリアのフィレンツェで興り、一四〇〇～一五〇〇年代終わりまでの期間を指します。ギリシャ、ローマの古典・古代文化を復興させる思想ですが、たんなる模倣ではなく、人間の尊厳を再認識する人間中心主義が特徴です。哲学の分野では、プラトンの思想に立ち返る新プラトン主義が盛んになり、古典研究が進みました。

さらに十五世紀にはイタリアだけではなく、ネーデルラント（現在のベルギーおよびオランダ）やブルゴーニュ公国（現在のフランス東部からドイツ西部）を中心に、北方ヨーロッパでルネサンスが開花しました（北方の初期ルネサンス）。ファン・エイク兄弟らが活躍した当時の模様は、オランダの歴史家ヨハン・ホイジンガ[※3]の『中世の秋』[※4]（中公文庫）に活写されています。

佐藤　神学の分野ではさらに遡り、アルクィン（イギリスの神学者）たちによるカロリング朝（七五一～九八七年）の復興運動が含まれます。

宮下　カロリング・ルネサンス[※5]ですね。フランク王国のカロリング朝・カール

※3 ヨハン・ホイジンガ　一八七二―一九四五年、歴史家。主な著書に『ホモ・ルーデンス』（講談社学術文庫、二〇一八年）など。

※4『中世の秋』　十四―十五世紀のブルゴーニュ公国の文化について考察した著作。中世人の意識と生活が活写されている。

※5 カロリング・ルネサンス　八世紀末―九世紀、フランク王国カール大帝の庇護下における古典文芸・文化復興の運動。

大帝のもとにイギリスやアイルランド、スペインやイタリアからラテン語や神学の知識が集まりました。「十二世紀ルネサンス」※6というのもあります。アラブ世界から主にシチリア島のパレルモ（ノルマン朝の都）を通じてイスラムの学問・文化が入り、ヨーロッパの文化と結節したものです。

ひと口にルネサンスといっても、このように時代や地域によって千差万別です。北方ルネサンス研究で名高いドイツの美術史家エルヴィン・パノフスキーが、著書『Renaissance and Renascences in Western Art』（邦訳『ルネサンスの春』新思索社）でルネサンスを「Renascences」と複数形で記していることからも、その多様性は明らかです。

たとえるなら「文明開化」

宮下　イタリアではじつはルネサンスという言葉はほとんど使われておらず、学問上の使用を避ける傾向にあります。この言葉は十九世紀にスイスの歴史家ヤー

※6 十二世紀ルネサンス
アメリカの歴史家チャールズ・ホーマー・ハスキンズ（一八七〇－一九三九年）によって提唱された概念。

コプ・ブルクハルト[※7]が『イタリア・ルネサンスの文化』（一八六〇年）で「人間と世界の発見の時代」として強調したものです。ブルクハルトの執筆の動機は、「ルネサンス」の語を初めて提唱したフランスの歴史家ジュール・ミシュレの『フランス史』（一八五五年）と言われていますが、いずれにせよ、後世に形づくられた概念なのです。

ルネサンスは十五世紀に突如として起きた一つの出来事というより、中世に各地で起きたプチ流行的な復古運動が集まったものと捉えるべきでしょう。カロリング・ルネサンスも、十二世紀および十五世紀のルネサンスも、複数の分野で多彩な才能が一斉に湧いた現象です。たとえるなら「文明開化」に近い。経済的な繁栄に伴う都市の発達をもとに、現実に目を向ける商人の精神などが開化の傾向を促した、と考えられます。

ビザンツ帝国の滅亡と古代ローマ文化の復活

※7 ヤーコプ・ブルクハルト 一八一八―一八九七年、歴史家。主な著書に『イタリア・ルネサンスの文化』（中公クラシックス、二〇〇二年）など。

佐藤　ルネサンスを語るうえで見逃せないのは、ローマ帝国を継承し、十五世紀にオスマン帝国に滅ぼされたビザンツ帝国（東ローマ帝国）の文化でしょう。

宮下　中世における文化の中心は、とりもなおさずビザンツ帝国でした。文化・芸術の中心地は東ローマ帝国の首都・コンスタンティノープルであり、古代ローマの遺産が保存されていました。そしてルネサンスを機に、ビザンツ帝国内に蓄積された古代ローマ文化が堰を切ったように湧き出します。ロマネスクやゴシック初期において、イタリアやフランス、スペイン、ドイツは美術の中心地ではありませんでした。むしろ文化的には辺境であり、美術も各地方の様式に基づくローカルなものでした。

その後、教会の権力が徐々に弱まり、一四五三年にオスマン帝国によってビザンツ帝国が滅ぼされると、ルネサンスに大きな影響を及ぼします。ビザンツ帝国が崩壊すると当時、この地に住んでいた学者たちが膨大な蔵書とともにイタリアに逃亡しました。フィレンツェでの中心言語はそれまでラテン語でしたが、ギリシャ語を話せることが知識人の条件になっていきます。

ロシアにおける「三」の数字の意味

佐藤　ビザンツの文化伝統が別のかたちで残る国が、ロシアです。たとえば、モスクワはしばしば「第三のローマ」と呼ばれる。この名称は、ロシアの神学者フィラフェイ・プスコフスキーによるものです。

プスコフスキーによれば、第一のローマは、アレイオス派の異端派のゲルマン人と妥協したから滅びた、という。第二のローマは、異教徒であるイスラムと妥協したために滅びた。しかし第三のローマはモスクワに場所を移し、父・子・聖霊の三位一体[※8]に基づく永遠の存在となったため、決して滅びないという主張です。

この「三」という数字が、ロシアでは特別な意味をもちます。レーニンが第三インターナショナルと決別し、第三インターナショナルを組織したように、神性や永遠のシンボルとしてとりわけ意識される数字です。

※8 三位一体
父、子、聖霊という三つの位格を持ちながら、神であるという本質については一つであるという、キリスト教の神理解。「三一」とも言う。日本聖公会などでは固有名詞として「聖三一」の語も使用される。日本ハリストス正教会では「至聖三者」と言う。

図1　レオナルド・ダ・ヴィンチ《サルヴァトール・ムンディ》1500年頃（個人蔵）

《モナ・リザ》を凌ぐ傑作

宮下　ルネサンス期の絵画の一例として、レオナルド・ダ・ヴィンチ[※9]がキリストを描いた《サルヴァトール・ムンディ》[※10]（25頁図1）を挙げておきます。

この肖像画は、真正面を向いたキリストを左右対称の構図で描いたもので、レオナルドは後述するイコン（聖画像）と同じ手法を採用しています。

この絵は二〇〇五年にアメリカで再発見され、一七年にクリスティーズのオークションでおよそ五〇〇億円（約四億五〇〇〇万ドル）という当時の史上最高価格で落札されました。購入したのはサウジアラビアの王族です。イエス・キリストの肖像画という、キリスト教の原点のような作品をイスラム教徒が買ったことで大きな話題となりました。

《サルヴァトール・ムンディ》は《モナ・リザ》を凌ぐ傑作である、と私は見ています。しかし残念ながら、前述の個人蔵のため実物を見ることはかなわない。アラブのアブダビにルーブル美術館の分館ができた際、目玉作品にしよ

※9　レオナルド・ダ・ヴィンチ
一四五二－一五一九年、イタリア生まれの芸術家。数学や建築学、解剖学、航空工学、天文学など業績は多岐にわたる。

※10　《サルヴァトール・ムンディ》
一五〇〇年頃、フランスのルイ十二世のために描かれたとされる。

うとルーブル側が積極的に動いたものの、先方が貸し出しに応じず、展示できませんでした。

美術館のないイスラム世界

宮下　ちなみに、イスラム文化には建築やタイル装飾、ミニアチュール（彩画、細密画）はありますが、いわゆる「美術」らしきものはほとんど見当たらない。「美術館」もなく、展示した絵を市民が鑑賞する、という制度そのものがありません。

にもかかわらず、アラブ各国にはモネやルノワールらの印象派絵画が購入されて数多く集まっている。オイルマネーを手にした富豪を相手に画商が積極的に売り込みをするからで、印象派大国といってもよい。

サザビーズのやり手競売人が、彼らにいかに印象派を売り込んで成功したかについては、フィリップ・フック『印象派はこうして世界を征服した』（白水社）

という本に詳しく述べられています。

また素材の点で見ると、ルネサンス期にあたる十四、十五世紀のヨーロッパはヨハネス・グーテンベルク[※11]による活版印刷技術の登場と時代が近い。当時は、木版画の全盛期にあたります。

樫やナラの硬い版木は磨り減らないため、木版画が何千部と刷れたのです。各地から多くの信仰者が訪れる教会では、巡礼の記念品として木版の宗教画が普及しました。

グーテンベルクの活版印刷は木版画と相性がよく、同時代に活字と木版画を組み合わせた書物が大量に流通します。活版印刷が発明される以前は、木版に一文字ずつ彫っていましたが、活字という画期的なメディアが登場したことで様相が一変しました。

近代の概念も変わった

※11 ヨハネス・グーテンベルク 一三九八－一四六八年、ドイツ生まれの印刷業者。活版印刷技術を考案し、実用化を図った。

佐藤　われわれの中学・高校時代には、ルネサンスと宗教改革は「近世」（近代初期）の出来事として教わりました。そして「ルネサンスは近代の幕開けだった」と。

宮下　ルネサンス、宗教改革、大航海時代の三つをワンセットで覚え、ルネサンス三大発明（火薬・羅針盤・活版印刷技術）の一つである羅針盤の誕生から大航海時代にいたった、というストーリーですね。さらに一四一五年、ヤン・フス※12の処刑後に支持者の民衆が起こした反乱や抵抗運動が近代化のきっかけになった、といわれます。

佐藤　ところが最近の教科書を見ると、ルネサンスはむしろ「中世」のニュアンスで記されている。

宮下　近代という時代はルネサンスよりもずっと後である、と考えられるようになりました。

佐藤　近年は、近代の始まりはウェストファリア（ヴェストファーレン）体制※13が確立した一六四八年という理解が主流です。

※12 ヤン・フス　一三六九—一四一五年。チェコ出身の宗教改革者。聖書だけを信仰の根拠とした、プロテスタント運動の先駆者。一四一二年にカトリック教会から破門され、コンスタンツ公会議によって有罪とされた。

※13 ウェストファリア体制　一六四八年、ウェストファリア会議で成立した三十年戦争の講和条約に基づく勢力均衡体制。同条約には六六カ国が署名し、世界最初の近代的国際条約とされる。

宮下　国民国家や国家主権が確立された時期ですね。

佐藤　近代の概念というものを、教科書の記述の変遷から見ると面白い。中世や近代の定義が変わりつつあり、ひと昔前のようにルネサンスや宗教改革を近世と位置付けられなくなっています。当然、ルネサンスの定義も変わります。

宮下　ルネサンスに共通する概念は「復古」という程度の意味でしょうね。

佐藤　すると、日本人からすれば「建武の中興」も「明治維新」も広義のルネサンスといってよい。われわれはいま、三度目のルネサンスを待っているわけです。

共産主義は宗教を否定しない

佐藤　先ほど「未来としての過去」について述べました。たとえば、過去のユーゴスラビア紛争について学ぶことは「未来の紛争」を知ることにほかなりません。以前に表象文化論の講義で、映画を題材に授業を行なったことがあります。

題材は、ユル・ブリンナーとセルゲイ・ボンダルチュク共演のユーゴスラビア映画『ネレトバの戦い』（一九六九年）です。

宮下　ユーゴスラビア分裂前の作品ですね。

佐藤　そうです。タイトルにある「ネレトバの戦い」は一九四三年、枢軸軍によるユーゴスラビアのパルチザン[※14]掃討戦のことです。これがまさに、現代のボスニア・ヘルツェゴヴィナ紛争を考えるモデルになる。

ネレトバの戦いを宗教の違いから見ると、兵力で大きく勝る枢軸軍の側は「ウスターシャ」と呼ばれるクロアチア民族主義者の独立軍がおり、彼らはカトリックです。同じく枢軸軍を構成する王党派は、セルビア正教会。キリスト教徒だけで構成された枢軸側に対し、兵力で圧倒的に劣るチトーのパルチザン側は、ムスリムとキリスト教徒の混在軍でした。にもかかわらず、勝ったのはパルチザンのほうだった。

チトー軍の勝因を神学生に問うたところ、いちばん頭がよい学生の回答は「共産主義というイデオロギーが傘になって、宗教対立を覆い隠したから」という

※14 ユーゴスラビア・パルチザン
第二次世界大戦中のユーゴスラビアにおいて、ユーゴスラビア共産党によって組織された抵抗運動。

ものでした。

宮下　なるほど。普通は「共産主義は宗教を否定する」と考えがちですが、そうではなかった。

佐藤　共産党の優位性が担保される限りにおいて、宗教は否定されません。むしろ活用される、といってよい。裏を返せば、共産主義という傘がなくなった瞬間、パルチザン内の宗教対立が再発する、ということです。

イコンの効果を利用した指導者たち

佐藤　よく「社会主義は宗教を弾圧する」というイメージがあるけれど、宗教と同じ方式を取り入れることが多い。たとえば、ロシア語でデモのことを「シェストビエ」という。「聖画像行列」という意味です。

宮下　神を奉るためにイコン（聖画像、後述）を掲げ、街中に出る行列・行進のことですね。

佐藤　中国でも、文化大革命期にシェストビエが流行しました。猫も杓子も『毛沢東語録』の抄本を手に持ち、毛沢東のイコンが国中を埋め尽くしました。

宮下　社会主義リアリズムに通じる流れですね。毛沢東は各家庭に公式肖像画の掲示を奨励するなど、スターリン※15の手法をそっくり模倣しました。無意識に指導者のイメージを刷り込む洗脳は、イコンと同じ効果を利用したものです。

北朝鮮の絵画は「宗教美術」である

佐藤　また、レーニンの遺体がレーニン廟《びょう》に保存されているのも「聖人の遺体は腐らない」という宗教伝統からです。

ドストエフスキーの『カラマーゾフの兄弟』に、末弟のアリョーシャが尊敬するロシア正教会の長老・ゾシマが死ぬ場面があります。臨終の際、「聖人は死んでも遺体が腐臭を発しない。むしろ芳香が漂う」と聞かされていたのに、長老の体が悪臭を発して皆がショックを受ける。そして彼の聖性を疑いはじめる

※15 ヨシフ・スターリン　一八七八－一九五三年。ウラジーミル・レーニンの死後、29年間、ソ連の最高指導者を務める。

わけです。したがって「レーニンは聖人なので遺体は腐らない」ということにしなければならない。

宮下　毛沢東もホー・チ・ミンも遺体を保存していますね。意外なところでは、日本にキリスト教を伝えたフランシスコ・ザビエルの遺体[※16]は、本当に腐っていない。ザビエルは生涯のうちに奇跡を起したという証拠がなかったのですが、いかなる理由か、死んでも体が腐敗しなかった。その一点をもって、彼は聖人の要件を突破したのです。

　ローマの教皇庁がゴアにある彼の遺体から右手を切り取って送らせ、それがローマのジェズ教会に飾ってあります。

佐藤　スターリンは自身が神学校を中退しており、『スターリン　赤い皇帝と廷臣たち』（上・下、サイモン・セバーグ・モンテフィオーリ著、白水社）などを読むと、晩年まで神学校時代の友人だった神父たちと付き合っています。

宮下　しかしスターリンは教会破壊を行ないましたね。

佐藤　じつは、教会破壊はスターリン時代よりフルシチョフ時代のほうが圧倒

※16　フランシスコ・ザビエルの遺体
一五五二年にフランシスコ・ザビエルは中国広東省で亡くなった。遺体はインドのゴアに安置されている。

的に多い。スターリン自身は宗教の力をよく知っており、むしろ政治に利用していました。たとえば一九四一年に独ソ戦が始まった際、いままで使っていた「同志諸君」の呼称をやめて「兄弟姉妹の皆さん」に改める。明らかに、教会における神父の呼び掛けと同じです。

宮下　スターリンが広めたソ連の社会主義リアリズムの美術はその後、中国に入って北朝鮮にも影響を与えます。

佐藤　北朝鮮の指導者を描いた肖像画を見ると、遠近法が完全に無視されていますね。金正日や金正恩の身長が、横に描かれた子供と対比すると七、八ｍになってしまう（笑）。

宮下　宗教画と同じで、重要なものを大きく描くと神が最も大きく、人間は小さくなる。ニュース映像でもよく、金正恩の背後に巨大な風景画が映りますね。北朝鮮の美術はたんなる装飾や娯楽ではありません。政治に加え、宗教的な意味合いをもっている。

「動く神」をどのように表現するか

佐藤　さらに私は、絵画に加えて写真もキリスト教においてきわめて重要であり、神学的であると見ています。なぜならユダヤ教、キリスト教の神とは「動く神」だからです。

ヘレニズム※17のギリシャ哲学では、アリストテレスのように神を「不動のもの」、最高次の存在形態（第一質料）として捉えます。

しかしヘブライズムのユダヤ教、キリスト教の考え方は異なります。神を表現する際には「God exists」（神は存在する）や「God is」（神がいる）といわず、「God is coming」（神は来たりて）や「God dwells」（神は宿る）、あるいは「God goes」と表現します。

では、われわれは「動く神」をどのようにして表現するのか。人間が神を表現し、知覚するには、静的な媒体に頼るしかない。その役割を追求してきたのがまさに宗教絵画であり、スチール写真です。

※17 ヘレニズム
古代オリエントとギリシアの文化の融合により成立した文化。紀元前三三〇年までの期間を指す。

図2 《最後の晩餐（機密制定の晩餐）》 16世紀 スタヴロニキタ修道院（ギリシャ）

宮下　イコン（聖画像）がまさにそうですね。ルネサンス以降のイコン制作では、聖人の動きの連続性や、行動の前後を想像させるような表現技法が発達しました。

佐藤　《最後の晩餐（ロシア正教では、機密制定の晩餐と呼ばれる）》（37頁図2）で使徒が皿に手を伸ばす動きのように、動的なものを静的な絵画の制約内でどのように表現するか。限られた枠組みのなかで「動かないものを動いているように見せる」技法を蓄積してきた歴史が、西洋美術を考えるうえで重要です。

第1章
「目に見えないもの」を見る

「死」と「美術」の結びつき

宮下　佐藤さんがおっしゃった神の表現をふまえて、「美術の起源とは何か」について話をしたいと思います。

古代ローマの博物学者で政治家のプリニウスが、絵画の起源についてロマンチックな話を伝えています。曰く、絵画の起源、コリュントスの町シキュオンで翌日、恋人を残して島を出ることになった男性の影を女性が思い出に残すためになぞったものである。そして彼女の父親は陶器職人で、描いた影を壷に焼き付け、神殿に奉納した。それが絵画の発祥だというのです。

右のエピソードは、男性が戦争に出兵して命を落としたことを暗示しています。つまり「死」と「美術」は根源から結びついている、という見方です。

紀元前七世紀末から前五世紀に制作されたギリシャのクーロス（青年）の直立不動像は、墓碑だったという説があります。当時、壮年の男性が死ぬと似姿を墓に象《かたど》る習慣があったという。彫像は宗教的儀礼の一つだった、といえるでしょう。このように、美術が生まれる契機の一つには死と宗教が深く関わっています。

「言葉にできないもの」と「目に見えないもの」

宮下　さらに宗教との関連で、美術の始まりは「目に見えないものを視覚化すること」だといえます。
世界のあらゆる宗教の根源には、神や仏、霊や魂など「言葉にできないもの」や「目に見えないもの」の存在があります。端的にいえば、「言葉にできないもの」を文字化したのが聖書やコーランなどの聖典であり、「目に見えないもの」を可視化したのが絵画などの美術です。

佐藤　したがって美術を見る側としては、目に見える絵画自体を崇拝するのではなく、絵画という痕跡を通じて、絵の背後にいる「見えない神」の存在を知覚しなければならない。

では、われわれ人間はいかにして痕跡を通じて神自身に到達できるのか。

オーストリアの哲学者ルートヴィヒ・ヴィトゲンシュタイン[※18]は、「語りうることは明瞭に語られうるが、言いえないことについては沈黙せねばならない」「示すことができるものは、語るわけにはいかない」と述べました。

たとえば（テーブルに置いたコーヒーを指して）われわれはいま、部屋に漂うコーヒーの香りを言葉で表現できるでしょうか。アナロジー（類比）でしか表現できない知覚を言語でそのまま表現することが不可能であるように、人間は神についてそのまま語ることはできない。

ただし、ヴィトゲンシュタインのように「沈黙せねばならない」とあきらめるのではなく、アナロジーとして語る方法を追求すべきです。この観点からすれば、われわれは聖書を読むときも目の前にある文字に囚われてはならない解釈が重要になります。

※18 ルートヴィヒ・ヴィトゲンシュタイン
一八八九－一九五一年、哲学者。主な著書に『論理哲学論考』（岩波文庫、二〇〇三年）。

「目に見えない聖書」を読む

佐藤　聖書を文献学として研究する学者は、記述の一字一句にこだわり、学問上の成果を追求します。しかしこの姿勢はたんなる「テキスト崇拝」にすぎず、神学ではありません。

「聖書学」と「聖書神学」は別物です。聖書神学を学ぶ者は、テキストの背後にいる神を感じ取らなければならない。その意味で、「キリスト教学」と「神学」も異なります。

キリスト教学は現象としてのキリスト教を分析し、学問上の手続きとして実証性と客観性を重視する。しかし神学を学ぶ者には、それらをすべて蹴っ飛ばして神を追究しなければならない局面が必ず生じます。

宮下　そうすると、学問としての神学を構築するうえでの根拠は何でしょうか。

佐藤　イコンと同じく、聖書の背後にある神を見ること。いわば「目に見えない聖書」を読む、ということでしょう。そこでは研究者の主観や解釈は存在しません。個人の主体を認めるのは近代以降の話なので、平たくいえばルネサンス以前に戻ることです。宗教改革も一つの復古運動（restoration）でした。

宮下　宗教改革は一種の原理主義ですね。

「偶像」と「聖像」の違い

宮下　いままでお話ししたような視点から歴史を見ると、美術の起源は目に見えない神を偶像や聖像によって視覚化し、表現してきた歩みである、ということができます。

　ここで「偶像」と「聖像」の違いについて述べておきます。偶像（idol）は「神そのものの像」であり、聖像（icon）は「神を見るための窓」である、といえます。洋の東西を問わず、人がつくった最古の像は地母神《ちぼしん》です。

　日本では「縄文のヴィーナス」（45頁図3）と呼ばれる約一万年前の土偶が長野県茅野市で出土しました。粘土でつくられた妊婦のような体形の像であり、地

図3 《縄文のヴィーナス》国宝 縄文時代中期 茅野市蔵 茅野市尖石縄文考古館保管（長野県）

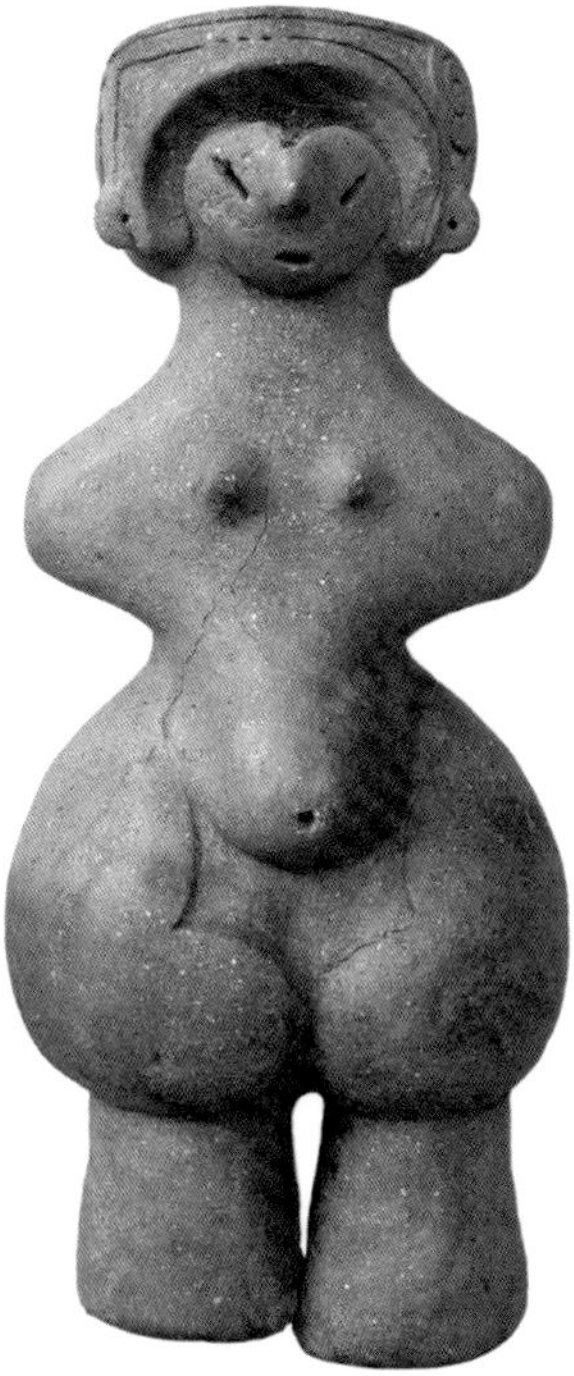

図4 《豊穣の女神》 約5000年前 タルシーン神殿（マルタ） 撮影:宮下規久朗

母神像[※19]に該当します。

古代ヨーロッパの場合、地母神や女神の姿がキュベレ、イシス、アフロディテ、アルテミスなどを経て、やがて聖母マリアになったと考えられます。マルタ島からは下半身がしっかりと据わった地母神像が発掘されており（45頁図4）、多産や豊穣を表すといわれます。その種の例は世界中に数多くあり、人間の宗教の原点、根源にあたるといえるでしょう。

仏塔と仏像という二つの表現形式

宮下　さらに時代が下ると、仏教では「舎利（シャーリ、ブッダの遺骨）信仰」が起こったのち、「仏塔（ストゥーパ）」（48頁図5）が造営されるようになりました。
一世紀のガンダーラではギリシャ文化の影響を受けた仏像が出現し、五世紀にグプタ時代を迎え、仏塔が完成の域に達します。

※19　**地母神像**
多産、肥沃、豊穣をもたらすとされる母なる神を象った像。世界各地に見られる。

仏教では人間を象った像をつくる伝統はなく、仏塔と仏像が信仰の二つの表現形式になっていきます。仏像ができた過程をたどると、ヘレニズム文化との接触が大きい。アレクサンドロス大王の遠征の際、一行がギリシャの神々の像を数多く持ち運びました。

現在のアフガニスタンにあたるガンダーラの近辺で、ギリシャの影響を受けた仏像が見よう見まねでつくられるようになります。ヘレニズム文化との接触ゆえに、ガンダーラの仏像は釈迦の像でも西洋的な造形が見られます。

その後、仏教が中国に伝来し、五世紀には崖を切り崩して造形する巨大な石像「磨崖仏《まがいぶつ》」がつくられるようになりました（48頁図6）。

さらに日本に仏教が伝わると、《薬師如来坐像》[※20]（七世紀、奈良、薬師寺蔵）のような洗練された仏像が登場します。日本に仏教が伝わったのは五三八年ですから、およそ一世紀余のあいだに日本できわめて完成度の高い仏像の制作技術が発達したことになります。

一方、キリスト教の場合は母体であるユダヤ教が偶像を禁じています。モー

※20 薬師如来坐像
薬師如来を象った像。坐像の他に立像も多く見られる。

図5 《ダメーク・ストゥーパ》6世紀（サールナート／インド）撮影:宮下規久朗

図6 《雲崗石窟第二〇洞露坐大仏》5世紀（中国）

ゼの十戒[※21]にも「彫像を造ってはならない」（出エジプト記二〇：四）とあり、本来は聖像を制作してはならない。神は目に見えない、「（あなたは）いかなる形も造ってはならない」（同）、など聖書の言葉を通じて造像禁止が説かれました。

イコンは「窓」である

宮下　ところが、四世紀あたりからキリストの画像が世に出回り始めます。ギリシャや地中海など当時の先進文明の地を通じて、ローマを中心に広まったキリスト教が各地の多様な意匠を取り込み、キリストの画像がつくられ始めたのです。

こうした動きに対し、八世紀と十六世紀に大規模なイコノクラスム（聖像破壊運動）が起きます。第三章で詳しく触れますが、十六世紀のイコノクラスムはルターの宗教改革[※22]に端を発するプロテスタント[※23]の運動の一つであり、これを契機にカトリック改革が起こり、イコンの正当化が図られます。

※21 モーゼの十戒
旧約聖書の出エジプト記に記された、モーセが神から与えられたとされる十の戒律のこと。

※22 ルターの宗教改革
十六世紀に起きた、カトリック教会を批判したキリスト教の改革運動。ルターが先導し、キリスト教界を二分する激しい宗教対立となった。

※23 プロテスタント
ローマ・カトリック教会の慣習と信仰に「抗議（ｐｒｏｔｅｓｔ）」した人を指す。教会の権威を強調するカトリックに対し、聖書に基づく信仰のみを強調する。

当時のカトリック[※24]は、イコンとは「窓」である、と考えました。礼拝や崇拝ではなく崇敬の対象であり、聖人や聖物、マリアの像などもすべて崇敬が目的であると合理的に説明しようとしたのです。

一方、正教会[※25]では八世紀の段階でダマスコのヨハンネスを筆頭にビザンツ帝国の学者がイコンに関する緻密な議論を重ねます。この際も、イコンは神を見る窓であり、それ自体は神ではない、という理由が語られます。そして宗教改革を受けて再度、カトリックの内部で同じ主張を確認したのです。偶像は「中に神がいる」のに対し、聖像は「窓を通して神に祈る」という行為である、と。

※24 カトリック
公同、普遍を意味する形容詞。時間と空間を越えた教会の普遍性（公同性）と、それを強調する教会団体に用いられる。

※25 正教会
ビザンツ帝国のキリスト教会を起源とし、ロシア・ギリシア・中東・東ヨーロッパで広く信じられる。

ウィンドウズとイコン

宮下　ここで思い出すのは、ビル・ゲイツとウィンドウズです。ビル・ゲイツが開発したマイクロソフト社のコンピュータの画期的なオペレーション・システム（OS）「ウィンドウズ」とはまさに「窓」です。

佐藤　ビル・ゲイツはカトリックですね。

宮下　はい。ウィンドウズの特徴は周知のように、グラフィカル・ユーザー・インターフェイスの画期性にあります。モニタ上の小さな画像をクリックして操作する仕組みで、一つひとつの画像は「アイコン」と呼ばれる。すなわち「イコン」のことです。

「ウィンドウズ＝窓」と「アイコン＝イコン」は、先ほどの説明から同義であることがわかります。キリスト教、とくにカトリックの信者のなかには、アイコンやウィンドウズなどキリスト教を連想させる名称がパソコンに使用されることに違和感を覚える人も少なくない。

カトリックは移民や難民の出身者が多く、アメリカのエスタブリッシュメント層であるＷＡＳＰ（White Anglo-Saxon Protestant〈ホワイト・アングロサクソン・プロテスタント〉）から見て、カトリックは学歴や教養のレベルで劣るという偏見もあります。

佐藤　アメリカの歴代大統領のなかでもカトリックはわずか二人だけ。ジョン・

F・ケネディ、そしてジョー・バイデンです。

宮下　オバマもトランプもプロテスタントですね。

佐藤　トランプの宗派は、プロテスタントの「長老派（プレスビテリアン）[※26]」です。長老派の信仰の特徴は「選ばれた者たちが世界を作り変える使命を果たす」と考える「予定説」にあります。

宮下　他方、カトリックのビル・ゲイツは庶民にもわかりやすく、誰でも使えるコンピュータの開発をめざしました。「ウィンドウズ」というOS名には、カトリックの影響が色濃いように思われます。

さらにいえば、マイクロソフト社のライバルであった「アップル」（林檎）という社名とロゴにもキリスト教的な含意があるのではないか、と推測できます。林檎は知恵の実であり、アダムとエバが果実を口にすることで「神の知恵」を盗んだとされるからです。

佐藤　キリスト教のシンボルは、他にもさまざまなところで見られます。たとえばクラウド・コンピューティングの「クラウド（雲）」とは、中世の神学書

※26　長老派（プレスビテリアン）
キリスト教のプロテスタントのうち、カルヴァン派に属する教派。

『不可知の雲』（著者不詳、奥田平八郎訳、現代思潮社、一九六九年）で示されているように、知恵のシンボルです。

宮下　雲というのは吉兆の象徴でもあり、西洋絵画ではよく聖人や神の周囲に雲がかかった光景が描かれます。東洋の仏画でも、紫雲のたなびく光景が縁起がよいとされ、しばしば画中に描かれます。

「受肉」という思想

宮下　イコンについては、先述のように八世紀にキリスト教で「イコンを認めるか否か」の論争が繰り広げられました。この議論を考える際、大事なのは「受肉」という考え方です。

受肉とは、神の子であるキリストが、イエスという人間の肉体のかたちを取って顕現することです。他の宗教の場合、神は目に見えないので実体がない、と考えられます。しかしキリスト教では、キリストが人間として物質化しているので、イコンを許容する余地が生まれる。受肉とのアナロジー（類比）[※27]でイコンを捉え直す、という視点があります。

佐藤　お話のように受肉を軸にイコンを考えるのは、キリスト教のど真ん中の考え方だと思います。

宗教を知らずに西洋美術を語るなかれ

宮下　キリスト教のみならず、あらゆる宗教は目に見えない神や奇跡、神秘的なものをテーマに描いてきた歴史があります。だからこそ美術は宗教とともに尊重されてきた、といえます。

偶像が禁止されたにもかかわらず、キリスト教の歴史とともに西洋美術が長い年月を重ね、発達を遂げてきた歴史は、受肉とイコンの関係を抜きに語れません。言い換えれば、キリストが生まれて初めて人類に美術の要件が整った、といえるでしょう。

※27 アナロジー（類比）　とくにイエスが神、他者と築いた具体的な関係から類比を行なうこと。スイスの神学者カール・バルトは「信頼の類比」という語を使う。

印象派が台頭する以前の西洋美術は、ほぼ例外なくキリスト教を題材にしています。「西洋美術＝キリスト教美術」といっても過言ではない。作品の大半がキリスト教と何らかの関係があり、現代アートにまでキリスト教は深く入り込んでいる。したがって、宗教を知らずに西洋美術を語ることはできません。

原初のイコンはキリストの顔を写したものであり、イコンとはすなわちキリストの痕跡です。キリスト教におけるイコンとは、キリストが受肉した証拠にほかなりません。

佐藤　また「Incarnation（受肉）」の他の訳語としては、「託身《たくしん》」「藉身《せきしん》」があります。「肉」という言葉が肉欲のようなイメージを連想させ、抵抗感を抱く神学者が多かったことが理由の一つと思われます。

文部省（現・文部科学省）刊行の『学術用語集』内のキリスト教学編でも、incarnationの訳語として「受肉」「託身」「籍身」の三つが掲載されています。明治期から昭和初期あたりまで、神学者はこの言葉の翻訳に思慮をめぐらせてきました。ちなみに「藉身」は、ロシア語から転訳したもの。以前は同志社大学系の神学者は「托身」を使い、正教会では「藉身」を使いましたが、現在はともに用いられない表現です。

宮下 受肉の「肉」という言葉を「籍身」や「托身」のように「身」という言葉に置き換えたのは、素晴らしい翻訳だと思います。「身」は身体のことを表すと同時に「一身上の都合で」や「身一つで」など、人間の態度や精神を表しており、人間と神の関係や、キリストが人の姿で現世に生じたことの意味を捉えているからです。

キリストの顔を転写した聖顔布

宮下 イコンの語源は、ギリシャ語で「形象」などを意味するアイコーン。発端は、キリストの顔を押し当てて写像した「聖顔布」にあります。

聖顔布には大別して二つあります。一つ目が「マンディリオン」(57頁図7)、二つ目が「スダリウム」(57頁図8)。

図7　《マンディリオン》14世紀　サン・バルトロメオ・デリ・アルメーニ修道院（ジェノヴァ／イタリア）

図8　《聖ヴェロニカとスダリウム》1420年　ナショナル・ギャラリー（ロンドン）

一つ目の「マンディリオン（自印聖像）」は、シリア・エデッサの王アブガルが病身となり、キリストに「病を治しに来てほしい」と頼んだのがきっかけです。アブガルは、キリストに特異な力が備わっていることを知っていました。ところがキリストはアブガルの使者の依頼を断り、「代わりにこれを持っていきなさい」として自分の顔を洗い、押し当てた布を使者に渡します。布を持ち帰り、アブガルが祈りを捧げたところ、たちどころに病気が治った。これがマンディリオン伝説です。

六世紀にエデッサで再発見されてコンスタンティノープルに運ばれ、一二〇四年に十字軍によってパリに運ばれましたが、フランス革命で失われたといいます。ジェノヴァにあるものが、それを忠実に写したものとされています。

二つ目の「スダリウム」は、別名《ヴェロニカ》と呼ばれます。語源のヴェロイコーナは「真のイコン」の意です。

スダリウムには「汗を拭く布」という意味があります。キリストが十字架を背負ってゴルゴダの丘を登る途中、ヴェロニカという少女と出会います。彼女がキリストに血と汗に汚れた顔を拭うよう布を差し出し、顔を拭いた布にキリストの顔が写った、という伝承が残っている。この聖顔布は、長らくヴァチカンにあったといわれ、一五二七年の「ローマ劫略《ごうりゃく》※28」で失われたとされます。

増殖するイコン

宮下　また、キリストが自ら顔を押し当てたマンディリオンについて、布を置いた場所の下のタイルにも像が写りました。この像を「ケラミオン」といいます。ケラミオンは自然に増え、増えた布にはいずれも元の像と同じ効力があったという。

佐藤　イコンの増殖ですね。

宮下　重要なのは他者の手を介さず、キリストが顔を直接、布に写したことです。このように「人の手を介さない」イコンの像のことを、ギリシャ語で「ア

※28 ローマ劫略
一五二七年、神聖ローマ皇帝兼スペイン王カール五世の勢力がイタリアに侵攻し、ローマで殺人や破壊、強奪などを行なった事件。

ケイロポイエートス」といいます。スダリウム、ケラミオンが人為に拠らず広がったことで、聖顔布はキリストの受肉を証明することになりました。

ここから「複製のイコンを崇敬しても救われる」という信仰が広まります。キリストが本当に聖顔布を残したかどうかはわからないけれど、イコンがキリストを偲ぶ縁《よすが》として絶大な効果を発揮したのは間違いありません。先述のように、イコンとはあくまでも「窓」です。イコン自体を崇拝するのではなく、イコンを通じて、背後にある神を崇拝するものです。

ここで「崇拝」と「崇敬」の違いを区別しておきます。「崇拝」は英語の「adoration」「worship」の訳語、「崇敬」は「veneration」の訳語です。日本では、両者の使い分けも定まっています。「崇拝」の対象は神だけである一方、聖物や聖画像は「崇敬」の対象となる、ということです。

図9 《福音記者ヨハネとマルキオン(右)》11世紀頃 モルガン図書館(ニューヨーク)

仏教にもイコンがある

宮下　このような経緯から生まれたイコンが広く定着するのは、キリストの死後数百年たった五世紀ごろです。

最初はキリストの顔だけが描かれていたのですが、イコンが一般化するに伴って、崇敬の対象が拡大して聖母や聖人、キリストの全身像などがイコンになりました。聖母や聖人を描いたイコンは、いずれも正面を向いた厳格な顔つきの肖像画です。

さらにキリストにまつわるさまざまな逸話、たとえば「聖マタイの召命」（後述）のような新約聖書の場面も描かれるようになりました。イコンはのちのキリスト教絵画の先駆けといってよいでしょう。

佐藤　仏教の美術にも、イコン崇敬に近い例がありますね。

宮下　最古の仏像の一つに、釈迦の似姿をインドの優填王《うだやなおう》が作らせたという彫像があります。この像に祈りを捧げると、病気が治ったという。キリスト教と仏教の双方で聖像が病を治癒するエピソードが見られ、興味深い。

異端とされた「マルキオンの聖書」

佐藤　ここで、聖書について少し触れたいと思います。ご承知のように聖書は、構成や内容を最初から明確に定めたものではない。また歴史上、さまざまなバージョンが存在しました。

たとえば二世紀の時代に、マルキオンという人物がいました。彼は、神の啓示[※29]が表れているのは『ルカによる福音書』とパウロ書簡だけだと考えました。そこで旧約新書の記述を排除し、独自の「マルキオン聖書」を編纂したのです。

マルキオンは教会から異端と見なされ、排撃されました。それを物語る十一世紀ごろの絵があります（61頁図9）。マルキオンとヨハネが並んで座っており、マルキオンだけ顔が潰されている。さらに注目すべき点は、人物の後光です。

宮下　ヨハネには後光が描かれているのに、マルキオンにはない。

※29 啓示
超越者である神が示す、人間の力では知ることができない真理。神の言葉の形で現れるキリスト教における最大の啓示はイエス・キリストである。

佐藤　そうです。マルキオンにはグノーシス思想[※30]との親和性があり、ヤーウェ[※31]を否定しました。こうした言説が反ユダヤ主義と見なされるのは当然です。
そして正統派教会は聖書を定めます。この聖書は新約聖書とともに旧約聖書が含まれています。この旧約聖書は、ギリシャ語訳の「セプトゥアギンタ（七十人訳聖書）」で、それには外典が入っている。そもそもの正統はこちらではないか。ルターらプロテスタントは近代文献主義の影響を受けて外典を外したにすぎない、という考えも成立します。

宮下　美術の視点から見ると、ユディト[※32]など興味深いテーマはむしろ外典に多い。ユディトは、カラヴァッジョやクリムトなど多くの画家が描いた人気のテーマです。

佐藤　この「マルキオンの聖書」に対し、大多数の教派が脅威を感じました。そこから『マルコによる福音書』や『マタイによる福音書』のテキストを再編する動きが活発化します。なお、これらの福音書はマルコやマタイが自ら書いたものではなく、マルコやマタイの名前を掲げた教団内に編集者集団がおり、そ

※30 グノーシス思想
ギリシア語で「知識、認識」の意。ヘレニズム期の地中海地域あたりで普及した宗教運動・思想。

※31 ヤーウェ
ユダヤ民族の祖先であるアブラハムが契約を結んだ神。

※32 ユディト
プロテスタントでは旧約聖書の外典、カトリックでは旧約聖書続編に登場するユダヤ人の女傑。

れぞれ集合的に編まれたものです。背後にはそれぞれ教団がおり、解釈が異なります。これらマルコやマタイの福音書や、旧約聖書を統合するかたちでキリスト教の聖書がつくられます。

聖書はこのような複合的プロセスから成り立っており、事前に理論やプランをもって編集されたものではない。その点、イコンの成り立ちとは異なります。

宮下　イコンは「キリストの顔」という根源から派生した半面、聖書はマルコやマタイなどが神の霊感を得て書いたものとされます。要は聖霊が聖書を書かせた、ということですね。

佐藤　おっしゃる通りです。当時の世界観において、執筆者の背後に霊が働くという考え方は強い。われわれのような書き手もときどき、まるで自分の力ではないような尋常ならざるスピードで筆が進むことがあります。

フィリオクェ論争と教会の誕生

佐藤　また、聖霊に関しては「フィリオクェ」という、正教会とカトリック教会を分裂させた八、九世紀の大論争があります。ラテン語でフィリオは「子」、クェは「〜も」という意味です。フィリオクェは「子からも」ということになります。

キリスト教の三位一体説に関して、正教会では「聖神（霊）は父から発する」とされ、カトリック教会では「聖霊は父および子より発する」とされる。「父から発する」という解釈だと、キリスト（子）を経由せずに、父からダイレクトに聖霊がやってくる道もある。

われわれ人間には子を通してしか父を知ることができない。したがって「父および子から」というのは結局「子を通してのみ」という意味になります。ところが「子」であるキリストは「私は再び戻る」と言い残して天に去ったけれども、なかなか再臨しない。神学でいうところの「終末遅延問題」です。

キリスト教の「聖霊降臨※33」は、「五旬祭の月が来て、皆が同じ場所に集まっていると、突然、激しい風が吹いて来るような音が天から起こり、彼らが座っている家中に響いた。そして、炎のような舌が分かれ分かれに現れ、一人一人の上にとどまった。すると、一同は聖霊に満たされ、霊が語らせるままに、他国の言葉で話しだした」（『使徒言行録』二：一〜四）教会の誕生とされる出来事です。したがって、キリストは聖霊として教会に宿るということになります。

※33 聖霊降臨
キリスト教の祭日。キリストの復活祭後五十日目を記念する。ペンテコステとも呼ばれる。

「絵画は文盲の聖書である」

宮下　キリスト教が不思議なのは、ユダヤ教の聖典である旧約聖書をそのまま自分たちの聖書にしたため、キリスト教的な考えと矛盾する事柄が多く含まれていることです。町の住民を皆殺しにして丸ごと滅ぼしてしまうとか、凄惨な話も多い。キリスト教徒でも旧約聖書の一部の記述に違和感を覚える人は少なからずいます。

図10 《パントクラトール》12世紀 中世美術館(バルセロナ)

図11　ヤン・ファン・エイク《キリスト》1439年 アルテ・ピナコテーク（ミュンヘン）

佐藤　聖書と教会の運営に関していえば、新約聖書と旧約聖書の両方を信徒に読むことを奨励するのはプロテスタント教会です。カトリックや正教会は信徒が旧約聖書を読むことを勧めません。

正教会にいたっては、明治時代に旧約聖書を翻訳できたはずなのにあえて翻訳しなかった。旧約聖書を下手に翻訳すると、神父の教える教義から外れて信者が勝手に信仰を解釈し、誤解を招くと考えたからです。「旧約聖書の読み方に気をつけよ」というのは、伝統的なカトリック教会と伝統的な正教会の考え方です。

宮下　かつて、六世紀のローマ教皇グレゴリウス一世[※34]は「絵画は文盲の聖書である」と語りました。ヨーロッパの識字率の低さから、聖書を読めない人やキリスト教の教義がわからない人に対し、絵画は目の前に聖書の情景を思い起こさせるメディアです。

聖書に記された物語の理解を視覚イメージに訴えると同時に、文字以上に印象や記憶に定着するメリットがありました。神の行ないを忘れないようにする、

※34　ローマ教皇グレゴリウス一世　五四〇？—六〇四年。五九〇年からローマ教皇に就任。

という点で、美術は宗教にとって有用この上ないものであり、信仰のための貴重な道具でした。

佐藤　とくにグレゴリウス一世の時代には、世俗語によるテキストがありませんでした。聖書はすべてラテン語で記されており、知識階級の人びと以外は読めなかった。

商業の記録なら世俗語で書けるし、数字もわかる。でも、文法を知らないからラテン語の文書は読めない。そもそも、ラテン語ができる人の割合は中世も現代もさほど変わりません。裏を返すと、現在もラテン語を話す人がそこそこいる。日本にも、教会でのコミュニケーションをラテン語で行なう神父がいます。

日本へ聖顔布が流入

宮下　十世紀後半から十二世紀にかけて、ヨーロッパでは修道院を中心にロマネスク美術[※35]や建築の様式が台頭します。パレスチナ、スペインに聖地回復の目的で十字軍が派遣されると、文化交流と聖遺物（聖人の遺骨や接触物）崇拝、聖地巡礼のブームが起こりました。

ロマネスク美術の一例は、《パントクラトール》（68頁図10）というスペインの絵画です。左手に福音書をもち、右手で祝福を行なうキリストの全身像で、ローマ以来のテーマとされます。写実や自然から遠ざかったプリミティブ（原始的）な描写が特徴的で、一種の地方様式ながら中世ではヨーロッパを代表する様式となりました。

やがてルネサンス期になると、ヤン・ファン・エイク[※36]による《キリスト》（69頁図11）のようにリアルな表現が見られます。本作の複製画をもとにした聖顔布はのちに日本へたどり着き、幕府が押収して長崎奉行所に渡りました。

現在は大半の聖顔布は破棄されてしまったけれども、一点だけ残っており、東京国立博物館が所蔵しています。

※35 ロマネスク
「ローマ風」のフランス語に由来する。十世紀末から十二世紀までのヨーロッパの美術や建築などの様式。

※36 ヤン・ファン・エイク
一三九五頃－一四四一年、初期フランドル派を代表する画家。

AIとバイオテクノロジーの宗教性

佐藤　「見えざる世界を見る」という視点に今日的意義があるのは、AI（人工知能）とバイオテクノロジーの「神秘主義」からも明らかです。両者は一見、科学と先端技術の結合のように映るけれども、じつはある種の宗教性を帯びている。

AIやバイオテクノロジーの背後には「聖霊の働きによって人間が神になる」という「信仰」があります。AIがめざすのは「人（神）の手によって機械（アダムとエバ）に知を授けること」であり、すなわち人間が神になることです。バイオテクノロジーは「生命はデータの集積である」という仮説から生物のアルゴリズム（計算可能な手続き）を解析し、データ（聖霊）の働きによって生命を操作しようとする。

「シンギュラリティ[※37]がやがて来る」と語る人には工学者が多く、数学者が少ない。彼らは純粋科学を装いつつ、じつは宗教的な考えを抱いている人たちです。

※37 シンギュラリティ
人工知能が人間の能力を超える技術的特異点。

宮下　ＡＩと信仰が意外な接点で結びつきますね。

佐藤　「宗教の名を語らない宗教」というのは、どの世界にもあります。共産主義も同じで、仮に共産主義の看板が「マルクス・エンゲルス教」や「スターリン教」だったら、あれほど世界に広まらなかったでしょう（笑）。宗教の本質は超越性にあります。かつての唯物弁証法[※38]も現代のシンギュラリティも、超越の契機を見つめるという意味で、まぎれもない信仰なのです。

※38　唯物弁証法
マルクスとエンゲルスが一八四〇年代にヘーゲルの弁証法とフォイエルバッハの唯物論を批判的に検証し、打ち立てた理論。

第2章 土着化したマリア信仰

カトリックが聖母を重視する理由

宮下　カトリックにおいてたいへん重要な存在が、聖母マリアです。ところがプロテスタントでは聖母を否定し、「マリアには聖性がない」という認識を示しています。

聖母信仰は聖書に根拠がないため、聖書のみに立脚するプロテスタントの原理から、聖母を拝むことに意味は見出せないという。

では、なぜカトリックの側は聖母を重視するのか。多様な説がありますが、一つは地母神像、すなわち聖マリアが太古の地母神信仰を引き継いでいるという考え方です。

パウロが布教のために、アルテミス神殿で有名なエフェソス（現在のトルコ）を訪れ、現地でキリスト教の布教を行なうけれども、神殿で利益を得ている者たちの妨害に遭ってなかなかうまく行きませんでした。

その後、四三一年にこのエフェソスで宗教会議が開かれたとき、聖母マリアを「神の母（テオトコス）」に定めました。それによって、地中海の女神がアルテミスからマリアに移ったことが宣言されたと見ることができます。

エジプトの最高神はイシスといい、同じく女性神です。イシスがわが子ホルスを抱く姿が授乳の聖母の原像になった、ともいう。アルテミスやキュベレやイシス、そしてアフロディテもヴィーナスも含め、キリスト教以前の地中海の女神をすべて統合して習合したのがマリアである、と考えることができます。ゲルマン世界にも古代宗教のドルイド教があり、現段階では明らかにされていないものの、地母神信仰があったとされます。

ドルイド教の地母神もまた、マリアという一人の女性に集約・習合されたのかもしれない。

「無原罪懐胎」と「聖母被昇天」をめぐる論争

佐藤　カトリックの場合、神学的にも習合が行いやすい側面があります。キリスト教の根拠についても、プロテスタントが聖書だけに準拠するのに対し、カトリックは聖書に加えて伝承も重視します。

したがって、文字にはなってないけれども伝承に存在の根拠がある、という主張を行なう。

たとえばマリアについて、カトリックでは一八六九年に始まった第一ヴァチカン公会議の場で、教義と道徳に関するローマ教皇の宣言に誤りはないとする「教皇不可謬」が決議されました。これにより長年、論争となっていたマリアの「無原罪懐胎[※39]」が認められます。

もう一つの論争は「聖母被昇天」です。カトリックではマリアが肉体と霊魂とともに天に上げられる成人の姿を描くのに対し、「生神女《しょうしんじょ》就寝祭《しゅうしんさい》」では、現世で生涯を終えて就寝するマリアの亡骸の前にキリストが立ち、幼子のかたちをしたマリアの魂を抱く姿を描く。先述の公会議でマリアが無原罪とされたため、一九五〇年には「聖母被昇天」が正式に教義として認められました。

もちろん、カトリックの内部にも一連の流れに反発する動きはありました。守

※39 無原罪懐胎
神の恵みにより、マリアが受胎時から原罪の汚れを免れているとの言説。

旧派は教皇不可謬やマリアの無原罪懐胎を認めようとせず、カトリックの伝統を守るようヴァチカン公会議席で主張しました。

しかし彼らの主張は却下され、復古カトリック教会というかたちでカトリックから分離します。

一方、正教会もカトリックと同じく聖母マリアを重視します。この点に関して興味深いのが、ハルビン学院を出て上智大学教授となった内村剛介の著書『科学の果ての宗教』（講談社学術文庫）。聖母マリアの地獄巡りのエピソードなどが出てきます。

内村は本書で、ビザンツ帝国のキリスト教には「裁きのキリスト」というイメージがあり、ロシアにおけるキリストは厳格で怖い印象がある、という。対するマリアは寛容で「赦《ゆる》しの人」と見なされた、という趣旨のことを書いています。

総じていえば、プロテスタントのほうがやや男権的で、フェミニズム神学者も初期に登場した人はカトリックが多かった。ただし最近のプロテスタント神学の一部はフェミニズム神学の影響を受け、聖書の「父なる神」という表象を相対化し、母性を読み込んでいく傾向があります。

世界中にある「黒い聖母」

宮下　マリア信仰は歴史が古く、カトリックのさまざまな文化的影響を受けている。たとえば珍しいところで「黒い聖母」というものがあります。

マリアをあえて黒く塗った像や、すすけて黒くなった像に有難みを感じるのがヨーロッパの伝統で、スペインやイタリア、ドイツに黒い聖母が見られます。いちばん多いのがフランスの中央高地で、ル・ピュイ＝アン＝ヴレやロカマドールなど、巡礼の聖地でしばしば目にします（83頁図12）。

他にも東欧ポーランドのチェストホーヴァのヤスナ・グラ修道院にある黒い聖母や、メキシコはじめ南米で広く普及している《グアダルーペの聖母》（83頁図13）も、先住民インディオの肌と同じ褐色です。グアダルーペの聖母が広まったのはスペインの植民地時代で、キリスト教を現地に普及させるため、黒いマリア像を用いたといわれています。

じつは日本にも、山形県の鶴岡カトリック教会天主堂に黒い聖母像がありま す。一九〇三年にフランス・ノルマンディー州のデリブランド修道院から贈られた比較的、新しいものです。二十世紀初頭に黒いマリア像がつくられていたこと自体が興味深い。

余談ながら、フィリピンのマニラにブラック・ナザレ祭という、毎年一月に行なわれる有名な祭があります。

黒いキリストの人形が黒い十字架を背負っており、人形を乗せた車が市街をパレードする。黒いキリスト像に触れるとあらゆるご利益があるとされ、多くの人が押し合いへし合い、像の周りに殺到するのです。凄まじい勢いで毎年、圧死者が出るというから、大阪府の「岸和田だんじり祭」の比ではない（笑）。

図14 《サルス・ポプリ・ロマーニ》6世紀? サンタ・マリア・マッジョーレ聖堂(ローマ)

図12　《黒い聖母》9−12世紀
ノートルダム礼拝堂（ロカマドール／フランス）

図13　《グアダルーペの聖母》
（メキシコ）

図15　《ウラディーミルの聖母》
1200年頃 国立トレチャコフ美術館
（モスクワ）撮影:宮下規久朗

イコンと聖書は等価

宮下　さらに、たとえばドイツとイタリアとでは聖母マリアの表現が異なります。

ドイツは表現主義的で、リアリティをあまり重視しない。眉間に皺を寄せた険しい表情のマリアが描かれることも多い。一方、ローマにあるサンタ・マリア・マッジョーレ聖堂には、ルカが描いたと伝えられるマリアのイコン《サルス・ポプリ・ロマーニ》（82頁図14）があります。

マリアが正面を向き、左手に嬰児《えいじ》イエスを抱いた最古のイコンのタイプで、コンスタンティノス・オディィゲトリア修道院に伝わったイコンに因み「ホデゲトリア型」と称されます。イエズス会[※40]の聖母像も同じタイプのものです。

それに対してエレウサ型というのもあり、母と子の情愛を強調した特徴があります。たとえば《ウラディーミルの聖母》（83頁図15）はモスクワでいちばん人気のある聖母像であり、門外不出の名作です。正教会のウスペンスキー大聖

※40 イエズス会
一五三四年に創設されたキリスト教・カトリックの修道会。耶蘇会（やそかい）とも呼ばれる。

堂に掲げられていましたが、その後、モスクワの国立トレチャコフ美術館に収蔵されています。

美術館の敷地に教会があり、人びとが絶えず祈りを捧げる光景を目にします。聖母子像はガラスケースに収められており、多くの人が次々に口づけをするため、清掃者がケースに付着した口紅を拭っている。このように、イコンに接吻するロシア人は多いのでしょうか。

佐藤　多いですね。イコンだけではなく、聖書にも接吻する。聖体礼儀で使う聖書があって、『四福音書』を正教会では「福音経《けい》」と呼びます。

福音経を包む宝石を散りばめた布に十字架が付いていて、その十字架に接吻をすれば聖書を読んだのと同じ効果が得られる、と信じています。正教会の教会に行くと包まれた聖書が置いてあります。つまり、イコンと聖書は等価なのです。

また先ほども触れたように、正教会では聖書をあまり読まない。テキストを読まない代わりに、物体としての聖書を「聖なるもの」として崇敬するのです。

また、ソ連時代には聖書が少部数しか印刷されませんでした。無神論国家としての政策的な要因もあるけれども、教会としても聖書が普及しなくても困らなかった。先述のように、正教会は一般信者が旧約聖書を読むことを警戒する傾向があります。

聖書を個人が家で読むと、恣意的な解釈で教会の統一見解を崩す恐れがある。したがって聖書は教会で神父の指導の下、読むべきものだと指導したのです。その影響もあり、ソ連崩壊後も一般のロシア人には聖書を読む習慣がほとんどありません。

ちなみに教会では女性はベールで髪を覆わなければならず、逆に男性は帽子を被って頭を隠してはならない、という決まりがソ連時代から徹底されています。

天使が描いた《受胎告知》

宮下　もう一つ、マリアの絵画表現を語るうえで欠かせないのが《受胎告知》です。

受胎告知とは、処女マリアを大天使ガブリエルが訪れ、聖霊によってマリアがキリストを身籠ったことを告げ、マリアがそれを受け入れる場面を描いた絵画です。いつの時代でも《受胎告知》の画題は人気が高く、多くの画家によって繰り返し描かれてきました。

「受胎告知の教会」として名高いのが、フィレンツェにあるサンティッシマ・アンヌンツィアータ聖堂。祈りを捧げると子供を授かる、健康な子供が生まれると信じられており、妊婦や夫婦が絶え間なく訪れています。

教会内にある壁画は、イタリアで最もよく知られる《受胎告知》（88頁図16）の一つです。作者は不明で、「天使が描いた」とされます。

画家がマリアの顔の美しさを表現しきれずに悩み、眠りこけたまま朝を迎えると、聖母の顔が仕上がっていた、という。絵画が信仰の対象であることを感じさせるエピソードです。

図16 《受胎告知》14世紀 サンティッシマ・アンヌンツィアータ聖堂(フィレンツェ)

図17 《受胎告知》エル・グレコ 1590年頃－1603年 大原美術館（倉敷）

なぜ鳩やカタツムリなのか

宮下　また、《受胎告知》では懐胎させる聖霊を「鳩」で表すことが多い。かつては十字架を担いだキリストが直接、マリアの腹をめがけて飛来する姿を描いた作品もありました。しかし十五世紀に異端的とされ、この種の表現は禁止されました。

ローマのサンタ・マリア・マッジョーレ聖堂にあるモザイクは最古の《受胎告知》ですが、そこでも女王のような雰囲気を伴った聖母のところに鳩と天使が飛来する様子が描かれている。なぜ鳩なのか。

一説にはノアの洪水のとき、鳩がオリーブをついばんで戻ってきた逸話が関係する、という。岡山県倉敷市の大原美術館に収蔵されているエル・グレコ[※41]の《受胎告知》（89頁図17）にも、宙を飛ぶ鳩が描かれています。

また、エル・グレコの《受胎告知》のマリアは十二個の星がついた冠を被っています。ヨハネの黙示録のエピソード「一人の女が太陽を身にまとい、月を

※41 エル・グレコ　一五四一―一六一四年、ギリシア生まれ。マニエリスム後期の巨匠として名高い。

図18　フランチェスコ・デル・コッサ《受胎告知》
1467—68年 ドレスデン美術館(ドイツ)

足の下にし、頭には十二の星の冠をかぶっていた（『ヨハネの黙示録』十二・一）」に基づくもので、星の冠は後から描き加えられたとする説もあります。

グレコの《受胎告知》は戦前の一九二二年に購入され、その後は大原美術館で、多くの日本人に親しまれてきました。

さらに珍しいところでは、画中にカタツムリが描かれた《受胎告知》もあります。フランチェスコ・デル・コッサ[※42]の《受胎告知》（91頁図18）ですが、これはダニエル・アラス『なにも見ていない――名画をめぐる六つの冒険』（白水社）という本に詳しいのですけれども、ここで紹介しますと、一つ目は、カタツムリは雌雄同体であることから処女懐胎につながる、という説。二つ目は、神がアダムとエバを創造し、罪を犯してからキリストが再臨するまでの遅延に由来する説です。歩みが遅いカタツムリは日本における亀と同様、ヨーロッパでは「のろま」の代名詞とされています。

※42 フランチェスコ・デル・コッサ 一四三〇頃―一四七七年、イタリア生まれ。ルネサンス期の画家。

天使はもともと羽がなかった

宮下　ラファエル前派のダンテ・ゲイブリエル・ロセッティ[※43]による《受胎告知》（94頁図19）は、眠りから覚めて間もない姿のマリアを描いています。発表当時、「寝ぼけ眼をした聖母とは何事か」と批難を浴びました。また従来の表現と異なり、大天使ガブリエルに羽が描かれていない。

しかし、もともと天使には羽がありませんでした。異教の影響で羽が描き加えられるようになった、といわれます。

旧約聖書を読むと、アブラハムの天幕を訪れた三人の旅人（天使）は、自分たちが天使であることに気づかれずにアブラハムのもてなしを受けています。天使は本来、人間と同じ姿だという見方です。

また通常、マリアは黒髪で描かれますが、ロセッティの《受胎告知》ではブロンドであることも特徴の一つです。

極めつきは、大天使ガブリエルの姿さえ描かないヘンリー・オサワ・タナー[※44]

※43 ダンテ・ゲイブリエル・ロセッティ
一八二八―一八八二年、イギリス生まれ。ルネサンスに影響を受け、ラファエル前派と呼ばれる芸術活動を始める。

※44 ヘンリー・オサワ・タナー
一八五九―一九三七年、アメリカ生まれ。聖書の場面をしばしば描いた。

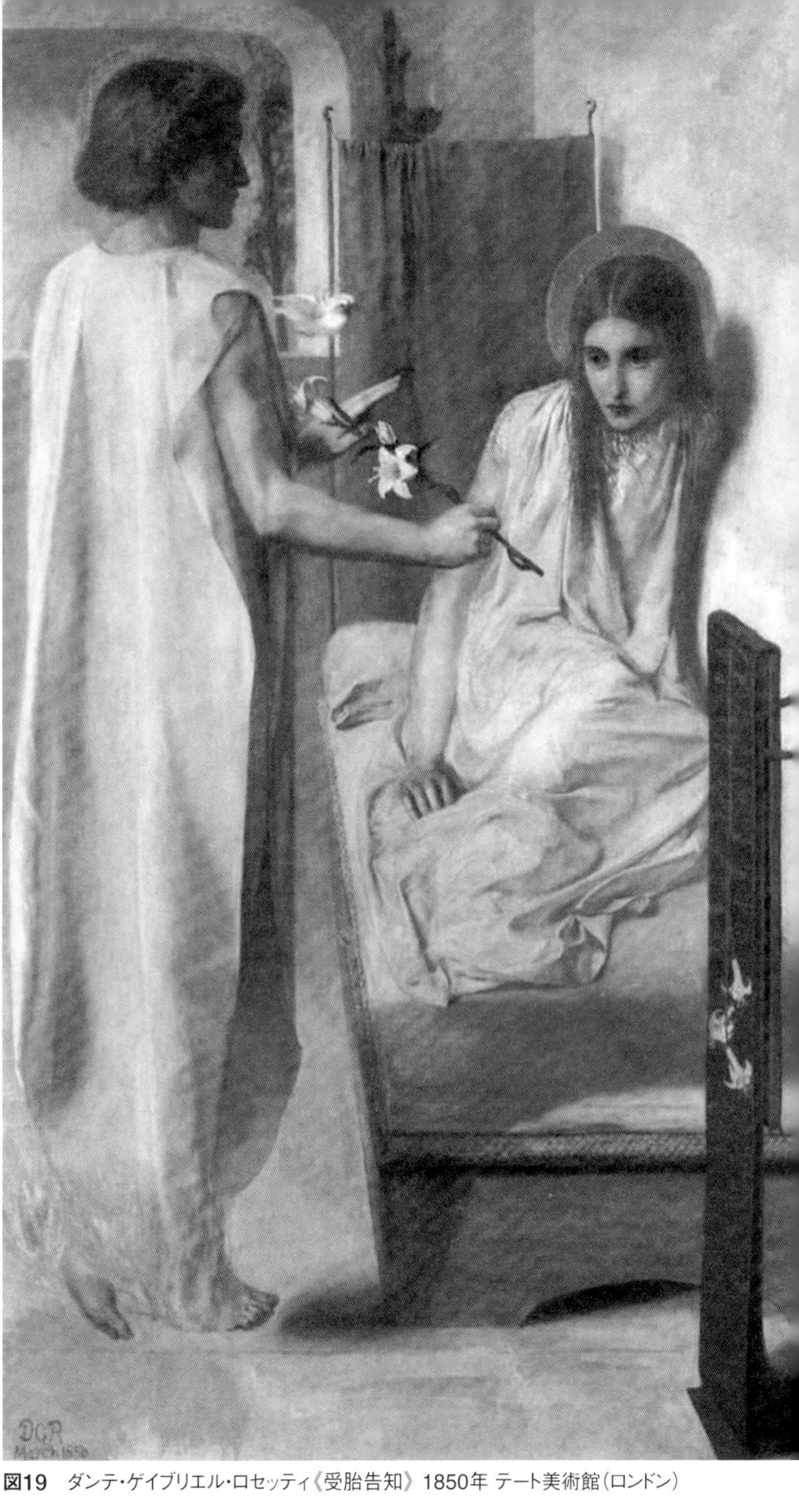

図19　ダンテ・ゲイブリエル・ロセッティ《受胎告知》1850年 テート美術館（ロンドン）

図20　ヘンリー・オサワ・タナー《受胎告知》1898年 フィラデルフィア美術館

の《受胎告知》（95頁図20）です。

タナーは、告知というのはたんに神の声が聞こえただけ、天使は実体ではなく神のお告げではないか、と解釈し、あえて天使を描かなかった。あるいは天使を光として描こうとした、と見ることができます。

ちなみに、解放奴隷の父のもとで生まれたタナーは、ヨーロッパで画家として認められた初めての黒人です。アメリカからフランスに渡り、美術サロンで成功を収めました。

カトリック改革のときに生まれたのが「守護天使」という概念です。背後霊や守護霊に近いニュアンスで、各人に必ず守護天使が付いていてくれて、悪魔から遠ざけてくれるという信仰である。ただし聖書には根拠となる話はありません。土着宗教の伝承とも考えられます。

佐藤さんのご指摘どおり、カトリックは聖書と併せて伝承を重視しました。そこから天使や聖母の新しい表現が生まれてきたように思われます。

図21　《悲しみの聖母》16世紀後半
南蛮文化館(大阪府)

日本はキリスト教絵画をどのように受け入れたか

宮下　先ほど、世界各地のマリア像について触れました。そこで、とりわけ日本が聖母像をはじめキリスト教絵画をどのように受け入れてきたかを考えたいと思います。

日本に聖母マリアをもたらしたのは、有名なフランシスコ・ザビエル率いるイエズス会です。十六世紀前半に創立され、世界中で熱心な布教に取り組みました。彼らが布教の戦略手段に用いたのが、美術です。

十六世紀半ば、日本にもキリスト教絵画が入りました。しかも、優れた作品が多かったのです。

その一例が、おそらくローマ周辺で描かれた《悲しみの聖母》（97頁図21）です。大阪市・中津の南蛮文化館が所蔵する絵画ですが、かつては奥田無清という福井の藩医が保有していました。この藩医はクリスチャンであることが露見して江戸に送られ、拷問の末に命を落としました。

キリスト教の絵画を所有することは当時、死罪に当たります。遺族は必死に絵を隠そうとして丸めて竹筒に収め、壁に塗り込めていました。

やがて二十世紀を迎え、藩医の古い家を解体したところ、《悲しみの聖母》が発見されたのです。絵の表面に折り目や痛みが目立つのは、丸めて保管していたことによるものです。

現在の修復技術を駆使すれば、折り目を消すことも可能でしょうが、南蛮文化館の矢野孝子館長はあえて直さない方針を選びました。折り目がついたままの状態から、マリア像がたどった苦難の歴史を伝えたい、という思いからです。技術的にはたいへん出来がよく、イタリア美術の中でも一級の作品といえます。同じく十六世紀に、イタリアに加えてスペインの美術も日本に持ち込まれており、やはりクオリティが高い。

マリア像の人気とキリスト像の不人気

宮下　なお、聖母マリア像は当時の日本で高い人気を誇りました。半面キリスト像は、とりわけ磔像《たくぞう》はまったくといっていいほど人気が乏しかったといえます。

理由は磔《はりつけ》の姿によるところが大きい。日本にも十字磔刑が存在しますが、対象は主君殺しや親殺し、関所破りなど重罪を犯した極悪人でした。したがって、十字架に括り付けられた者が神であるとは、多くの日本人にとって信じがたかった。そこでイエズス会の宣教師たちは、磔のキリストの絵をなるべく日本人に見せないようにしていました。

その一方、綺麗なマリアの絵を見せると反応がよい。それゆえ、とにかくマリア像を日本に送るように要請する手紙が残っています。

天正遣欧少年使節の歴史的な意義

宮下　日本にキリスト教が普及したのは、聖母マリア信仰によるところが大きいといえます。もしイエズス会が日本にマリア像を持ち込まなかったら、信者はほとんど増えなかったでしょう。布教のためには衒学的な書物や図像は必要なく、平明でわかりやすく、写実的で本物そっくりに見える絵画が効果を発揮したゆえんです。キリシタンの遺品で現存するのはじつに九割近くがマリア像です。

作家の遠藤周作いわく、日本人は母なるものに憧憬を抱いており、いくつになっても母に甘えたい。キリストのように「厳しく裁く神」には距離を置くところがありました。日本人の性格に気付いた宣教師はマリアの慈しみを巧みに用いて、民衆の感情に訴えたのです。マリアがキリストの遺骸の前で落涙する《嘆きの聖母》のような絵は、感情にストレートに伝わります。見る側を揺り動かす感傷性とわかりやすい平明性、リアルな写実性が日本に輸入されたカトリック改革期の美術の三本柱といえるでしょう。

イエズス会の美術を使った布教活動と並行して、十六世紀後半には天正遣欧少年使節[※45]がローマへ派遣されました。折しもシクストゥス五世がローマ教皇に即位したときで、少年使節の一行は即位式に参列を果たし、教皇にも謁見しました。

ヴァチカン宮殿システィーナ図書館の壁に描かれた《シクストゥス五世即位行進図》には伊東マンショ、千々石ミゲル、原マルティノ、中浦ジュリアンの四人の若者が白馬に跨る姿が見られます。ヨーロッパ全域でカトリック改革が展開されるなか、日本もキリスト教国の一つとして西洋諸国に認知される状況を迎えました。

シクストゥス五世は教会機構の建て直しを行なうなど、イタリアにおけるカトリック改革の代表的な人物でした。同時代に描かれたドメニコ・ティントレットの《伊東マンショ像》（104頁図22）が近年、約四百年ぶりにイタリアで発見されました。少年使節がヴェネツィアを訪れた際ティントレットが描い

※45 天正遣欧少年使節　一五八二年にキリシタン大名の名代としてローマへ派遣され、一五九〇年に帰国した。

たもので「油絵で最初に描いた日本人の肖像画」という記念碑的な作品です。

日本人が描いた聖母マリア

宮下　来日したイエズス会の宣教師のなかには、画家もいました。ナポリ近郊出身のジョバンニ・コーラ[※46]です。セミナリヨ[※47]で日本人に絵を指導し、コーラが描いたとされる絵画が多く日本に残っています。明治以降に南蛮美術の人気が高まり、収集家が多かったからです。

でも、じつは偽物も多い。コーラが教えた日本人画家の作品も残っていますが、大半の絵は幕府に押収され、廃棄や踏絵に使われました。

日本人独自の手法によるキリスト教絵画もあります。一例が、大阪府茨木市で発見された《マリア十五玄義図》（105頁図23）。「ロザリオ十五玄義」つまりマリアの五つの喜びと五つの悲しみ、五つの栄光を題材に描いた絵画です。

ドミニコ会ではロザリオ（数珠状の祈り道具）を用いて、キリストの生涯であ

※46　ジョバンニ・コーラ
一五六〇頃―一六二六年、イタリア生まれ。一五八三年に来日し、絵画の指導に努めた。一六一四年マカオに追放された。

※47　セミナリヨ
イエズス会によって日本に設立された初等教育機関。

図22　ドメニコ・ティントレット《伊東マンショ像》
1585年 トリヴルツィオ財団（ミラノ）

図23　《マリア十五玄義図》京都大学総合博物館

LOWADO SEIA O SANCTISSO SACRAMETO
S·P·IGNATIVS· SOCIETATIS IESVS·
S·P·FRANCISCVS· XAVERIVS·
S·MATTHIAS·
S·LVCIA·

る十五場面を黙想していました（ロザリオの祈り）が、その場面を描いたものがマリア十五玄義図の始まりです。

画面には、イエズス会の創立メンバーのイグナチオ・デ・ロヨラ※48とザビエル、聖体と聖杯、そしてマリアと幼児イエスが描かれ、イエズス会のマークが記されています。

この画題は赤いバラが描かれるのが通例ですが、代わりに椿が描かれている。当時の日本にはバラがなかったからです。日本の絵師による作品には、他にも人物が和服を着ていたり、雲の描写が和風だったりと、日本人ならではの表現が見られます。

佐藤　カトリック信仰が土着化した、ということでしょうね。布教に訪れた土地ごとの風習や文化、考え方に合わせるカトリックの戦略は、賢明だったと思います。

上智大学中世思想研究所が翻訳、監修した『キリスト教史』のなかに、インド布教時のマリア像やキリスト像が紹介されています。そこではキリストが宮

※48 イグナチオ・デ・ロヨラ　一四九一—一五五六年、スペイン生まれ。イエズス会を創設し、初代総長を務めた。

廷でバラモンの子として生まれ、絹の衣に包まれた姿になっている。「飼い葉桶の中で生まれた」という話では、インド人は蔑視して誰も信者になりたがらない。だから宮殿で生まれた、という設定に変更したのです。

『キリシタン版太平記』のハイブリッド性

佐藤　日本への土着化で興味深いのは、教文館から復刻された『キリシタン版太平記』です。マカオの司教が「これは反キリスト教の書物ではありません」という裏書きをし、最初にマカオで印刷されました。宣教師が日本を訪れるにあたり、『太平記』を読んで日本の歴史や言葉を勉強したのです。

『源氏物語』ではあまりに時代が遠いけれど、十四世紀に書かれた『太平記』は中世を描写しながら表現は近世のもので、十六世紀との親和性、ハイブリッド（混合）性がある。『太平記』の世界はダンテの『神曲』に通じる、と私は見ています。絵巻物や古典からの引用、神代説話の挿入など、バリエーションある構成は西欧人向きです。

宮下　十三〜十四世紀に書かれた『神曲』とは時代も近いですしね。

佐藤　日本におけるキリスト教の土着化について、歴史神学者で同志社大学神学部教授だった魚木忠一の『日本基督教の精神的伝統』（大空社）という興味深い本があります。魚木は、純粋なキリスト教は存在せず、各文明・文化との触発によって生まれるという。ユダヤで生まれたのはヘブライ類型のキリスト教であり、ギリシャはギリシャ類型、ローマはラテン類型。そして宗教改革はゲルマン類型という具合に、キリスト教を類型的に捉えます。

では、日本の類型とは何か。日本人はもともと宗教的な土壌をもつ民族であり、仏教や儒教、神道の文脈からキリスト教を取り入れることで、救済宗教としてのキリスト教の本質を捉えられた。つまり仏教と儒教と神道がなければ、日本人はキリスト教の本質を掴めなかった、という優れた考察を示しています。カトリックでいう普遍はラテン的なモデルを敷衍《ふえん》する、ということだから結局、文化帝国主義になってしまう。

魚木忠一の『日本基督教の精神的伝統』は、プロテスタントである日本基督教団の創設記念で一九四一年に刊行された基督教思想叢書の一冊でした。一九九〇年代後半、戦時中の国家主義関係の書籍を大空社が復刻する際、併せて再刊されました。日本のキリスト教受容を見るうえで決定的に重要な書籍です。

宮下　カトリックはアジアや南米、アフリカで布教を行なうにあたり、現地の習俗と衝突しないように配慮しました。十七世紀に中国へ渡ったイエズス会の宣教師マテオ・リッチは、皇帝崇拝も率先して行ないました。カトリックにはこのような柔軟性があります。

共産主義化したサンタクロース

佐藤　宗教の土着化について、日本人はクリスマスにもみの木に装飾を施します。しかし、あれはどう考えても異教の祭りですからね。

宮下　さらにいえば、もみの木を飾る習慣はカトリックにはありません。クリスマスツリーやサンタクロースは、ゲルマン人のプロテスタントの伝統です。イタリアはカトリックなので、基本的にクリスマスツリーを飾りません。

佐藤　クリスマスツリーといえばアメリカですね。

宮下　そう、日本のクリスマスツリー文化はアメリカからの輸入です。イタリアなどカトリック圏で飾るのは「プレゼピオ」というキリスト降誕の場面を再現した小さいジオラマです。馬小屋のなかにマリアやヨセフ、幼いキリストを象った人形が配されている。プレゼピオはクリスマスに限らず一年中、売られています。アッシジの聖フランチェスコが最初につくったといわれます。最近、イタリアでもクリスマスツリーを見掛けるようになったのは、まさにアメリカ文化の土着化です。

佐藤　ロシアではソビエト時代に、欧米のクリスマスに対抗して「もみの木祭り」というものを始め、現在にいたっています。クリスマスではなく大晦日に、サンタクロースの代わりにまったく同じ格好をしたジェド・マロース（直訳すると「極寒のおじいさん」）が橇《そり》に乗り、プレゼントを配って回る。

宮下　まさにサンタクロースそのもの。脱宗教化した感じですね。

佐藤　共産主義化したサンタクロースです（笑）。

宮下　欧米では、イースター（復活祭）も大事な行事ですが、ロシアでは復活祭の位置付けはどうですか。

佐藤　復活祭は最大の祭日です。対してクリスマスは、十二大祭[※49]の一つに過ぎません。復活祭の前はパンケーキ祭りといって肉を食わず、パンケーキだけを食べる。旧ソ連は、意外と世俗化したかたちでキリスト教の習俗を残しました。

※49 十二大祭
正教会で重要視される十二の祭日。

隠れキリシタンによるマリア信仰

宮下　土着化に関し、長崎の隠れキリシタンにも触れたいと思います。多くのキリシタンが潜伏した長崎県の外海《そとめ》地方に、長く大事に伝えられた《雪のサンタ・マリア》（112頁図24）という聖母画があります。

図24 《雪のサンタ・マリア》1600－14年 日本二十六聖人記念館（長崎県）

図25 《踏絵 キリスト像（エッケ・ホモ）》重要文化財 17世紀 東京国立博物館

図26 《踏絵 聖母子像（ロザリオの聖母）》重要文化財 17世紀 東京国立博物館

この絵は日本人が描いたと思われますが、まず目に留まるのは、画面の上部が大幅に切られていること。切り取ったイコンの一部を出征する兵士がお守りとして携帯し、あるいは村の偉い人が死ぬと遺体と一緒に棺桶に入れていたのです。

マリアの顔は切り取られておらず、イコンに霊的な力が備わっていると考えた隠れキリシタンたちの信仰を物語っています。現在も長崎には同じような信仰をもつ人たちが住んでおり、キリスト教本来のイコン観とは異なる考え方を抱いていることが汲み取れます。

さらに、日本には古くから秘仏が多い。例を挙げると、滋賀県大津市の三井寺の《金色不動明王画像（黄不動尊）》は、かつては写真撮影さえも許されない秘仏でした。同じく三井寺の《如意輪観音坐像》もそう。

長野県の善光寺の観音像は長いあいだ公開されず、当の善光寺の住職でさえ見たことがないという。ではいったい、なぜ秘仏なのでしょうか。

先に触れたとおり、仏教ではキリスト教のイコンと異なり、像自体を神と見なします。鎮座する仏像自体が、衆生を守ってくれる。存在自体に意義があるのでわざわざ見る必要がなく、したがって公開する理由もない。

一方で、イコンは神を見る窓だから、秘仏のような扱いは、原則としてはありえません。「イコンは必ず公開展示されるもの」というのがキリスト教美術の基本です（実際には秘匿されていたものも多いのですが）。

踏絵はキリシタンを探索するために、一六二六年頃初めて行なわれ、当初は聖画やクルス（十字架）を踏ませていました。しかしすぐ破れ、あるいは磨滅してしまうので、信者から押収したキリストや聖母を表した大型のメダイ（メダル）を板に嵌め込んだ板踏絵がそれに代わりましたが、やがてそれらも足りなくなり、長崎の鋳物師に作らせた真鍮製のものが長く用いられました。

それらは長崎奉行所で保管され、現在は重要文化財として東京国立博物館に収蔵されています（113頁図25及び26）。他にも、大阪の南蛮文化館などにいくつも現存していますが、いずれも摩耗して図様がかろうじてわかる程度になっており、いかに長い期間、多くの人間が踏まねばならなかったかを物語っています。

そこで疑問に思うのは、日本の「踏絵」です。イコンが「窓」である以上、画像自体には霊的な力は備わっていない。だから欧米では《雪のサンタ・マリア》のように、イコンの切れ端をお守りにする発想がありません。であるならば、聖人や聖物、マリアが描かれた絵を踏みつけたところで本来、構わないはずです。

佐藤 そのとおりです。原理的には踏んでも問題ない。

宮下 ところが、隠れキリシタンの大半は仏像や仏画からの連想で神の絵それ自体を「神」と考えた。だから足蹴にできなかったのです。

為政者は日本人特有の誤解に付け込み、信者を炙り出したともいえる。いずれにせよ踏絵は日本にしかない現象で、それゆえ日本特有の美術といってよいでしょう。

イコンの概念をイエズス会士が日本人の信者に正しく教えなかった理由については定かではなく、疑問に感じます。

世界遺産から除外された生月島

宮下　また、同じく長崎県の生月島《いきつきしま》には、現在も数十のキリシタン集落が残っています。

図27　お掛け絵《受胎告知》 平戸市生月町博物館・島の館（長崎県） 黒田賀久氏所蔵資料

佐藤　「カクレキリシタン」とカタカナで呼ばれる信仰者が潜伏した島ですね。

宮下　生月島には「お掛け絵（納戸神）」というものがあります。聖母や聖人を描いた絵ですが、西欧人というより、明らかに日本人の容姿をしている。
マリア像は十字架が描かれているので辛うじてマリアとわかる程度で、完全に和風化された女性が、和風の雲とともに描かれています。受胎告知の絵では、マリアがすでに子を抱いている（117頁図27）。彼らはこれらの絵を拝み、「オラショ」という呪文のような祈りの文句を唱えます。

佐藤　オラショはラテン語でもなければ、日本語でもない。

宮下　ルネサンス音楽の研究者でカトリックの皆川達夫[※50]が旋律を調査・分析したところ、オラショのなかにグレゴリオ聖歌の旋律がかすかに残っているということ。原歌が歌い継がれて訛ったもののようです。さらに先祖の名前を書いた札を拝むなど、キリスト教が土着の宗教と混然一体となっています。

生月島のキリシタンの独特な風習は、源流がキリスト教にあるというだけで、キリスト教本来の信仰とは異なる。キリスト教伝来から約三百年で、まるで別の宗教に変容してしまったわけです。明治維新後、プティジャン[※51]というフランス系の神父が長崎を訪れると、信仰を守り抜いた隠れキリシタンが現れ、カト

※50 皆川達夫
一九二七－二〇二〇年、東京生まれの音楽学者。主な著書に『キリシタン音楽入門：洋楽渡来考への手引き』（日本キリスト教団出版局、二〇一七年）など。

※51 ベルナール・プティジャン
一八二九－一八八四年、フランス生まれ。一八六五年に日本を訪れ、大浦天主堂で信徒を発見した。

リックに合流しました。ところが生月島の信仰はあまりにもキリスト教とかけ離れており、合流・復帰できなかったのです。

二〇一八年に「長崎と天草地方の潜伏キリシタン関連遺産」がユネスコの世界文化遺産に正式登録されました。ここでいう「潜伏キリシタン」は明治以降にキリスト教に合流・復帰した人たちですが、生月島のキリシタンは含まれていない。この「カクレキリシタン」の聖地が世界遺産から除外されていることを、私たちはどう考えたらよいのか。世界遺産とは要はヨーロッパの基準で認定されている。江戸幕府の弾圧からキリスト教に復帰した人たちを称えるのが趣旨であり、キリスト教の教義から外れた土着のキリシタンは顕彰に値しない、というのがユネスコの見解なのでしょうか。

土着化は立派な信仰のかたち

佐藤　そもそも、潜伏キリシタンが世界遺産に登録されること自体がおかしな話だと思います。江戸時代に鎖国をしなければ、日本はフィリピンやマカオのように欧米の植民地になっていたはずです。この問題は、カトリックの帝国主義、植民主義の文脈で考えなければいけない。禁教に反抗したキリシタンをわざわざ世界遺産に申請する、というのは歴史認識に問題があるといわざるをえません。

宮下　植民地根性や奴隷根性に近い卑屈さですね。たしかに世界遺産になってからは地元に立派な標識や記念館が建ち、長崎観光のブームも起きました。しかし自治体が喜ぶ裏で、地元で静かに信仰を守ってきた人たちはむしろ迷惑に感じています。

生月島のお掛け絵は特異ではあるけれども、立派な信仰のかたちの一つです。世界の人びとが聖母マリアをさまざまな様式で描き、一心に祈りを捧げてきた土着化という現実を否定すべきではない、と思います。

第3章 破壊されるイコン

宗教改革とイコン論争

宮下　第一章で触れたとおり、キリスト教は母体であるユダヤ教が偶像を禁じたことにより、偶像や聖像に否定的でした。ところが四世紀ごろから、キリストの画像すなわちイコンが世に出回り始め、五世紀に定着します。

しかし七世紀を迎えると、同じく偶像を禁じるイスラム教の影響から、キリスト教は偶像の是非を再検討します。当時は軍事的にイスラムの勢力が強まっており、ビザンツ帝国が陥落寸前まで追い込まれました。キリスト教会は偶像を崇敬する行為を疑問視するようになり、七二六年、東ローマ皇帝レオン三世がイコンの禁止令を打ち出します。

以来、イコン擁護派と否定派が対立を深め、約一世紀にわたる「イコノクラスム」すなわち聖画像破壊運動が始まります。最終的にはイコン擁護派が勝利を収めたものの、この間の論争は多角的かつ本質的なものでした。

その後、前述のとおり十五世紀にフィレンツェを中心にルネサンスが花開き、キリスト教絵画は隆盛期を迎えます。ところが十六世紀に入り、ドイツやスイスを中心にヨーロッパ一帯で宗教改革が勃興。プロテスタントがローマ教皇を中心としたカトリックの在り方を厳しく批判し、とくにカルヴァン派がイコン崇敬は誤りであることを主張しました。教会に飾られたキリスト教絵画が批判の対象となり、プロテスタント圏のなかで聖画像の排除が推進されました。

イコノクラスムで断絶した古代ローマの伝統

佐藤　宗教改革はマルティン・ルター[※52]に始まり、フルドリッヒ・ツヴィングリ[※53]、ジャン・カルヴァン[※54]によって改革の度合いを強めます。宗教改革の本質は、レストア（restore）すなわち復古運動でした。キリスト教絵画をはじめ中世の教会文化を廃棄し、それ以前の聖書の記述に立ち返るというもの。ところが、しばらく経つとプロテスタント・スコラ主義が台頭し、再び中世に回帰することとなります。

※52 マルティン・ルター　一四八三－一五四六年、ドイツ生まれ。著書『九五か条の論題』（一五一七年）で宗教改革を訴える。

※53 フルドリッヒ・ツヴィングリ　一四八四－一五三一年、スイス生まれ。ルターとともに宗教改革を代表する人物だが、後にルターと対立する。

※54 ジャン・カルヴァン　一五〇九－一五六四年、フランス生まれ。ルター、ツヴィングリと並ぶ宗教改革の指導者。

図28 《聖母子と聖人たち》6世紀 アギア・エカテリニ修道院(シナイ山／エジプト)

宮下　ルターはイコンの濫用には否定的であったものの、どちらかといえば聖像に対して寛容な側面がありました。プロテスタントにおいてもマリアは大切な存在であり、ルターは『マリヤの讃歌』（岩波文庫）という文書も書いています。その一方、聖像に対して厳しい態度で接したのがツヴィングリやカルヴァンです。彼らは聖像が教会にとって有害とまで考えました。宗教改革がヨーロッパ各地に広まると、群衆が教会を襲撃し、キリスト教絵画や彫刻を破壊する十六世紀のイコノクラスムにいたったのです。

話が前後しますが、八世紀以前のイコンは一回目のイコノクラスムで破壊されてしまい、ほとんど残っていない。ただし例外もあります。シナイ山にあるアギア・エカテリニ修道院には、《聖母子と聖人たち》（124頁図28）のイコンが残されています。シナイ山がエジプトの僻地に位置するために破壊を免れた現存最古のイコンである、といわれます。六世紀ごろのものですが、描き方は古代ローマの様式に基づいている。蜜蝋で描かれており、エンコスティック（蜜蝋）というエジプトのミイラ肖像画※55と同じ技法です。イコンは時代が進むにつ

※55 ミイラ肖像画
棺桶の蓋などに写実的な肖像画を描いたもの。

れて硬直化し、形式的になっていきますが、このイコンは古代ローマの技術を引き継いでいます。

佐藤　そう考えると、イコノクラスムはローマの伝統を断絶した、という側面が強い。

宮下　そのとおりで、イコノクラスムの約一世紀のあいだに様式が変わってしまい、伝統技法が途切れてしまったといえます。

佐藤　ロシア正教の伝統的な技法の一つとして、テンペラ画でイコンを描くにあたり、使用する鶏卵は「受精卵」でなければいけない。イースター（復活祭）に使う卵と一緒の考え方で、生命が生まれ出るシンボルだからです。だから無精卵は使わない。美術の技法と宗教の生命観が一つの文脈として結びついているわけです。

宮下　日本画でも、動物の骨や皮を煮込んだ膠《にかわ》を絵具の定着剤として使うなど、生命と切り離せない要素があります。

絵画に描かれたイコノクラスム

宮下　さらに、イコンを破壊したイコノクラスムの模様を描いた絵画もあります。まず、モスクワのロシア国立歴史博物館に収蔵されている《イコノクラスム図》(128頁図29)。イコン擁護論者の画家によるイコノクラスムの様子が描かれています。

擁護派にとって、イコンを破壊するという行為は十字架上のキリストを槍で突くのに等しいことを示しています。イコン擁護論者はこのような絵を描き、聖像破壊者たちの蛮行を非難しました。

十六世紀のイコノクラスムでは、スイス・チューリヒの中央図書館所蔵《イコノクラスム図》(128頁図30)が、当時のイコノクラスムの模様を伝えています。チューリヒでは、ツヴィングリを宗教指導者としてイコノクラスムが広がり、教会から祭壇画や像が持ち出されて燃やされた光景がありありと描写されています。

図29　《イコノクラスム図》9世紀 ロシア国立歴史博物館（モスクワ）

図30　《イコノクラスム図》16世紀 チューリヒ中央図書館（スイス）

図31　ルカス・クラーナハ《マルティン・ルターの肖像》1529年 ウフィツィ美術館（フィレンツェ）

図32　ルカス・クラーナハ《林檎の木の下の聖母子》1530年頃 エルミタージュ美術館（サンクトペテルブルク）

一種の民衆感情の恐ろしさというか、それまで熱心にイコンを崇敬していた民衆が一八〇度、態度を変えて聖画像破壊に走ってしまう。ツヴィングリやカルヴァンは自ら直接、市民を煽動したわけではなく、民衆が自発的に偶像を壊して回ったのです。ドイツの聖画像破壊はビルダーシュトゥルム（像の嵐）と呼ばれ、偶像を壊す行為が奨励されました。

ルターの友人ルカス・クラーナハが描いた《マルティン・ルターの肖像》（129頁図31）が、フィレンツェのウフィツィ美術館にあります。

他方でクラーナハは、ルターの敵である贖宥状《しょくゆうじょう》（いわゆる免罪符）を売り捌く司教のためにも絵を描いていました。彼はルターの宗教改革に共鳴していたものの、政治的に振る舞う性格の持ち主でもありました。

《林檎の木の下の聖母子》（129頁図32）のように、カトリック教徒が好む聖母の絵を生涯にわたって描き続けた画家です。

キリストのコスプレ

宮下　一方でアルブレヒト・デューラー[※56]のような真面目な性格の画家になると、宗教改革にともない聖母を描くことをやめてしまう。なお、デューラーには《一五〇〇年の自画像》（132頁図33）というセルフ・ポートレートがあります。タイトルどおり一五〇〇年に描かれたもので、画家を神と同じく「無から有をつくり出す」創造主として描いた自画像である、といわれます。

そして、この絵はいわばキリストのコスプレという側面もあります。当時はキリストの真似をすることは不遜でも何でもなく、多くの人々がキリストの真似をする流行がありました。いかにもキリストが着ていたようなぼろぼろの衣服を身に着け、荊の冠を被ってわが身に笞打つ者もいました。キリストと一体化することが信仰の証だったのです。

デューラーも同様に信仰が篤く、自分の顔を理想化してキリストに似せて描いています。正面を向き、左右対称の構図であるのもイコンと同じです。

※56 アルブレヒト・デューラー　一四七一―一五二八年、ドイツ生まれ。ドイツにおけるルネサンスを代表する画家。

図33　アルブレヒト・デューラー《一五〇〇年の自画像》アルテ・ピナコテーク(ミュンヘン)

図34　アルブレヒト・デューラー《四人の使徒》アルテ・ピナコテーク（ミュンヘン）

デューラーは、じつは完成した自画像を描いた最初の画家でもあります。有名な自画像を三点残しており、本作はその一つ。若いころの肖像です。

さらに、同じくデューラーによる《四人の使徒》（133頁図34）。自身が暮らすニュルンベルク市に寄贈した作品です。

ニュルンベルクは宗教改革の影響でプロテスタントの都市になったものの、カトリックによる反動の動きがありました。デューラーはそれを戒めるため、本作を描いたのです。

本作には銘文が添えられており、内容は目下、ニュルンベルクにはびこる悪魔の囁きのような風潮に屈さないよう市の担当者に檄を飛ばすものです。この絵に登場するのは、イエスの使徒であるヨハネとペトロ、そしてマルコとパウロ。いずれも新約聖書の中心人物たちです。

佐藤　この絵では、パウロのほうがペトロより頭が高く描かれていますね。カトリックであれば絶対にこうは描かないと思う。

プロテスタントはパウロを重視する傾向が強く、正教会はヨハネへの敬意が強い。もしカトリックの画家だったら、ペトロをより大きく描いたでしょう。カトリックの信徒がデューラーの《四人の使徒》を見たら、嫌な印象を覚えることでしょう。

宮下　たしかにルターもパウロが最も好きだった、といわれますね。

なお、ルターの宗教改革に強く共鳴するデューラーはルターとの面会を求めて手紙を書いたりもしていますが、とうとう二人は会えずじまいでした。

彫刻と絵画のどちらが格上か

宮下　デューラーが生きた時代のドイツでは、画家は職人と同等の存在と見なされていました。彼は金工細工師の息子としてニュルンベルクで生まれながら、職人としての遍歴修業と並行して絵の勉強を重ね、二度にわたりイタリアへ渡っています。

ドイツと異なり、当時ルネサンス期にあたるイタリアでは画家はたいへん尊敬されました。レオナルド・ダ・ヴィンチをはじめ、画家はたんなる職人ではなく、精神の技を身につけた高い存在と見なされました。キリスト教の知識と多角的な教養をもち、自らの精神を表現できる点で、学者と同じ扱いだったのです。

この傾向はイタリアに限らず、プラハでもルドルフ二世が画家に種々の勅許を与え、学者同様に厚遇しました。

なお、ルネサンス期には「彫刻と絵画のどちらが上か」という比較芸術論争（パラゴーネ）も繰り広げられます。レオナルドが、平面により立体を表現し、彫刻より深遠な世界を伝える絵画が格上であることを主張したのに対し、「自分は画家ではない」と豪語するミケランジェロ[※57]は彫刻こそ本来の芸術であることを主張します。

当時の画家たちは、職人組合であるギルドではなく、アカデミーをフィレンツェやローマなど各地で結成しています。併せて講義や学者を招いて講演を行ない、画家の地位向上の機運を盛り立てました。

※57 ミケランジェロ・ブオナローティ
一四七五―一五六四年、イタリア生まれ。ルネサンスの彫刻家、画家、建築家、詩人。しばしば「万能の人」と呼ばれる。

イタリアを訪れたデューラーは、母国ドイツとの境遇の差にショックを受けます。ドイツに帰れば相変わらず画家の扱いは金工細工師と同列で、デューラーは憤りを覚えました。

そこで画家の地位向上のPRの一環として描いたのが、先ほど紹介した《一五〇〇年の自画像》なのです。なおデューラーはたいへん学のある人物で、のちに『人体均衡論四書』（中央公論美術出版）などの書物を著しています。

ドイツとイタリアを比べると、画家の地位の差だけではなく、造形上の違いも大きい。ドイツはわりと表現主義的で、たとえばピエタという、十字架から下ろされた落命のキリストを抱くマリアを描く像があります。

ドイツで描かれたマリアは眉間にしわを寄せた険しい表情が多い。わが子に先立たれた母親の憂いと混乱を表現しようとするのがドイツ人。対照的に、イタリアではミケランジェロのように「永遠の処女」であるマリアを極端に若い姿で描こうとします。

こうしたゲルマン文化と地中海文化の違い、地中海周辺におけるラテン的で鷹揚な文化に対する反発が、ドイツでプロテスタントを台頭させた一因ではないでしょうか。

ヨーロッパ美術史上最高の傑作

宮下　マティアス・グリューネヴァルト[※58]も、宗教改革に共鳴した画家の一人です。しかし、宗教改革を機にドイツ南西部に広まった大規模な農民一揆「ドイツ農民戦争（一五二四～二五年）」のとき、彼は農民の味方につきます。

グリューネヴァルトは、農民の側に立ったことが原因で宮廷画家を解雇されてしまい、その後、行方不明となりました。

グリューネヴァルトの代表作《イーゼンハイム祭壇画》（140頁図35）は、ヨーロッパ美術史上最高の傑作といってよいでしょう。横三枚の絵の中央に、笞《むち》を打たれたキリストが痛ましい姿で描かれており、十字架の横木がたわんでいます。

※58 マティアス・グリューネヴァルト
一四七〇／一四七五頃－一五二八年、ドイツ生まれ。デューラーと並び、ドイツにおけるルネサンスを代表する画家の一人。

キリストの重みで曲がったこの木は「弓」であり、「矢」としてキリストがこれから天に向かって解き放たれる、という解釈があります。

また傍にいるマグダラのマリアと比べ、キリストが異様に大きく描かれている。下段の一枚はキリストが十字架から降ろされた場面で、左右には聖セバスティアヌスや聖アントニウスの姿が見られます。

この祭壇画は以前、イーゼンハイム修道院の付属施療院に飾られていました。同修道院は当時「アントニウスの火」と呼ばれた流行病に罹った患者を収容していました。

アントニウスの火とは、麦角中毒《ばっかく》(菌の付着した麦を食べたものの手足が腐って壊疽《えそ》していく病気)のことです。症状の進行を食い止めるためには手足を切るしかなく、切断で命を落とす患者も多かった。

つまり《イーゼンハイム祭壇画》は、生死を分ける大手術を控えた患者と医師、修道士が祈りを捧げるものだったのです。こうした背景を知ってから絵を見ると、人間の苦しみや痛みを背負ったキリストの姿がより切実に伝わり、静

I·N·R·I

図36　ティルマン・リーメンシュナイダー《聖母被昇天》1505－10年 ヘルゴット教会（ドイツ）

かで深い感動を覚えます。

リーメンシュナイダー

宮下　イコノクラスム時代の彫刻も見てみましょう。ルネサンス期のドイツ最大の彫刻家に、ティルマン・リーメンシュナイダー[※59]がいます。クレクリンゲンという小さい町にあるヘルゴット教会にあるのが、彼が手掛けた《聖母被昇天》(141頁図36)。いまも多くの人々に親しまれている彫刻です。

当時の彫刻は着色されたものが大半ですが、白木で色が塗られていません。リーメンシュナイダーもドイツ農民戦争の際、農民側についた一人です。戦いの鎮圧後、彼も粛正の対象となり、二度と彫刻ができないように腕を砕かれてしまう。

このすばらしい祭壇も宗教改革後、イコノクラスムに遭わぬよう、布でくるまれて隠されており、長らく発見されませんでした。

※59 ティルマン・リーメンシュナイダー
一四六〇頃―一五三一年、ドイツ生まれ。彫刻のマイスターとして数々の祭壇や墓碑などの彫刻を手がけた。

続いてイコノクラスムを記録した絵画を見てみましょう。ディルク・ファン・デーレン[※60]による《イコノクラスム図》（144頁図37）です。一五八一年にスペインから独立したオランダでも、一五八八年に大規模なイコノクラスムが起きました。

現在は教会の祭壇画が破壊されてしまい、ほとんど残っていません。プロテスタントの教会は白く何もない、すっきりした空間が美しいとされます。対してカトリック側はトレント公会議（一五四五～六三年）以降、聖画像や聖遺物、聖母の有効性が確認され、教会での装飾が公認されました。

トレント公会議は、プロテスタントとカトリックとの対立を和睦させるのが目的でした。しかし結局プロテスタントは参加せず、カトリックが自ら綱紀粛正を行なうことになる。

※60　ディルク・ファン・デーレン
一六〇五―一六七一年、オランダ生まれ。宮殿や教会内部の建築空間をしばしば描いた。

図37　ディルク・ファン・デーレン《イコノクラスム図》1630年 アムステルダム国立美術館（オランダ）

神の場を「心の中」に設定したプロテスタント

宮下　宗教改革以降、カトリックも自らの問題を自覚するようになりました。たとえばルネサンス後期にはヴィーナスと聖母マリアを同じように描くなど、教義に外れた絵画も多く描かれていました。過去の反省に立ち、カトリックは綱紀粛正と同時に、美術の力で信者を増やそうとしました。前章で見たように、海外での布教にマリア像を最大限、活用するなど美術を「武器」として信者の獲得を図りました。一方、プロテスタントはイコンを禁止し、美術を排除しました。この違いはどこにあるとお考えですか。

佐藤　プロテスタントには、イコンの神学のような難しい話がよくわからなかったのだと思います。プロテスタントの宗教改革は当初、無知蒙昧な運動でした。それが機能し、拡大するようになったきっかけは、科学の発達と啓蒙主義※61です。

マゼランが世界を一周し、コペルニクス、ガリレオが現れて地動説を立証す

※61 啓蒙主義
「啓蒙」は暗闇を明るくするという意味。人間の理性と自律の光により蒙昧の闇を啓き、人間の自立を促すという、十八世紀ヨーロッパの中心的思想。

ると、神をめぐる意味が変容します。「天」＝「上」の概念が変わるからです。丸い地球上で、一国での「上」は他国にとって「上」を意味しません。カトリックは科学の発展に対し、宗教的・霊的な真実と、科学的な真実は別物だという説明を行ないます。これはやはり説得力が薄い。

他方、プロテスタントの啓蒙主義に対する態度は合理的でした。プロイセンのプロテスタントの神学者フリードリヒ・シュライエルマッハー[※62]は、宗教の本質は直感と感情であると考え、神の場を「心の中」に設定します。この考え方は、啓蒙的理性とたいへん折り合いがよかった。

また、カトリックは「教皇の首位性」は譲れない、という。他方、正教では「父からの聖霊の発出」を譲れないものとします。この点でも正教とプロテスタント、カトリックのあいだには違いがあり、一律に論じることはできません。

宮下　聖書の新共同訳[※63]のような翻訳作業は一緒に取り組んでいましたね。

佐藤　その新共同訳の歴史が、たいへん面白い。カトリックは、神である「イエス」を伝統的に「イエズス」と呼びます。ギリシャ語では「イエスース」。プ

※62 フリードリヒ・シュライエルマッハー
一七六八―一八三四年、プロテスタントの神学者。自由主義神学の父と呼ばれる。牧師を務めるとともに、哲学者としても活動。

※63 新共同訳
聖書協会共同訳と同様に、カトリック教会とプロテスタント諸教会による日本語訳聖書。一九八七年に刊行。

ロテスタントとカトリックの間では、共同訳にあたって「イエスス」という妥協案をひねり出します。しかしカトリックはこの訳語では教会で使えない、と納得しない。再び訳文と訳語を検討した末、プロテスタントが「ペテロ」の呼称を「ペトロ」で譲る代わりに、カトリックが「イエズス」の呼称を「イエス」で譲る、という妥協訳が成立したのです。

宮下　なるほど。他方で近年、発刊された聖書協会共同訳[※64]は新共同訳よりもよい、という評判もありますね。

佐藤　たしかに新共同訳よりも読みやすいと思います。ただし問題がいくつかあって、たとえば新共同訳で「重い皮膚病」とあるのを、聖書協会共同訳で「規定の病」と改めています。これは意味が不明なうえに、「重い皮膚病」がハンセン病を連想させる表現であること、および患者が差別されてきた歴史的経緯がわからなくなってしまう。

なお聖書協会共同訳は、全体の通読をプロテスタントの文芸評論家・富岡幸一郎氏が行なっています。新共同訳よりもややプロテスタント寄りと思われる

※64　聖書協会共同訳　カトリック教会とプロテスタント諸教会が共同して翻訳を手がけた、日本聖書協会による日本語訳聖書。二〇一八年に刊行。

箇所がいくつかあります。

オリジナルとコピーに違いはない

佐藤　イコノクラスムに話を戻すと、イコンをめぐる考え方の相違はその後、二十世紀に入っても神学問題を生み出します。

一九一七年にロシア革命が起き、正教会の神学者の多くがフランスやアメリカに亡命します。亡命ロシア人のあいだでイコン復興の機運が高まり、神学的な裏づけを図ろうとしました。彼らは、プロテスタントが唯一絶対とする聖書主義も、じつは「テキスト」を崇拝するという意味で「偶像崇拝」であり本来の聖書に対する向かい方は東方正教会の、イコン崇敬と同じなのではないか、と考えました。信仰を聖書のみに基づくとするプロテスタントも、じつはイコンのように聖書という「窓」の背後を崇敬しているのだ、と。この見方には説得力があります。

イコン論争を考えるうえで重要なのが、ニューヨークの聖ウラディーミル神学院教授を務めた正教の神学者ジョン・メイエンドルフ[※65]の説です。著書『東方キリスト教思想におけるキリスト』（教文館）の最終章でイコンの考察を行なっており、私も同志社大学神学部の演習で彼のテキストを活用しています。

メイエンドルフのイコン論の核心は、「イコンとポストモダン思想には親和性があり、オリジナルとコピーのあいだに違いはない」ということ。八世紀のイコノクラスムから七八七年の第二ニカイア公会議（聖像破壊運動および聖像破壊論者を否定）、ダマスコのヨハネによるイコン擁護にいたる経緯を現代の眼差しで見ると、メイエンドルフの視点が浮かび上がります。

宮下　おっしゃるように、イコンにオリジナルとコピーの区別はありません。転写された聖顔布はすべてが神聖とされる。イコンとは、いうなれば「描き写されることで増殖する」絵画です。

佐藤　だから絵に署名がない。著作権や所有権の思想が存在しないのです。

※65　ジョン・メイエンドルフ　一九二六－一九九二年、フランス生まれ。正教の神学者。主な著書に『ビザンティン神学』（新教出版社、二〇〇九年）など。

グノーシスの思想はキリスト教ではない

佐藤　イコン論も神学理論も、聖書のテキストでもそれ自体を自己目的としてしまうと、そこに真理があると錯覚し、神学を誤ったかたちで理解してイコンを偶像崇拝の対象にしてしまう。

イコンを考察するうえで、もう一つ注目すべきなのは「グノーシス」（霊肉二元論）の思想です。グノーシス派[※66]は、特殊なグノーシス（知恵・知識）の高みを体得した者のみが救済されると考え、聖書を否定します。

たとえば、教会での葬儀の際、牧師から「〇〇さんは長い病の末、亡くなられました。彼は肉体の苦しみから解放され、魂は天に上る。肉体は滅びますが、魂は永遠です」という言葉を聞くことがあります。

この肉体と霊を二分する考え方が、まさにグノーシスの発想です。グノーシスの二元論からすると、イコンは霊や神とは別物であり、偶像崇拝にあたります。

※66 グノーシス派
古代ギリシア語で「知識」「認識」を意味し、霊の優位性を説く霊魂二元論を取る。キリスト教では、人間を救済に導く究極の知恵を指し、異端として古代教会から排除された。

しかし、これはキリスト教の考え方とはまったく異なる。キリスト教では「肉体が滅びれば魂も滅び、滅んだのちに復活する」と考えます。

タリバンと廃仏毀釈

宮下　さらに、イコノクラスムはキリスト教だけの話ではない。他の宗教にも事例があります。

有名な例では二〇〇一年、イスラム原理主義組織タリバンが世界遺産にもなっていたバーミヤンの石窟寺院と世界最大級の仏像を破壊しました（152頁図38及び図39）。これもまさにイコノクラスムです。

バーミヤンの近郊には一世紀から石窟に仏教寺院が建設されました。十一世紀、イスラム教徒による迫害で仏像の顔が破壊される、という出来事が起こります。ただしイスラム教徒は顔を破壊しただけで、多くの壁画や石像は残りました。

図38　破壊前のバーミヤン石窟寺院と仏像（5〜6世紀）

図39　タリバンによる破壊後

ところが一九七九年のソ連によるアフガニスタン侵攻に端を発するアフガン紛争、そして二〇〇一年のタリバンによる爆破が東西二体の大仏を跡形もなく破壊してしまった。

この動乱に乗じて複数の石窟の壁画が盗掘され、その断片は日本にも流入して、私も目にしたことがありますが、大半は偽物だと思われています。

つまりタリバンのバーミヤン石窟爆破の噂が立ってからすぐ、マーケットに偽物を流した目ざとい連中がいたのです。

イコノクラスムは、日本の明治期にも見られます。一八六八年に明治新政府が出した、神仏分離令によって全国で起こった廃仏毀釈です。神職者や民衆の手で多くの仏画や仏像が破壊されましたが、なかには「どうせ壊されてしまうなら」と、代々伝わる文化財を売ってしまったお寺もあり、そのときに多くの文化財が海外に流出しました。たとえばパリのギメ美術館やロンドンの大英博物館、アメリカのボストン美術館やメトロポリタン美術館などには、日本の仏像や仏画の名品が多数、収蔵されています。それらのコレクションは、かつて東大寺や興福寺など名だたる寺が所有していたものもありますが、入手経路がわからないものも多いのです。

とはいえ、仮に明治の廃仏毀釈がなかったとしてもその後、戦時の空襲で焼けてしまったかもしれない。その意味では、海外に流れたことで救われた仏画や仏像もあった、と考えることもできます。

第4章 キリスト教絵画の見方、考え方

カラヴァッジョの衝撃

宮下　この章ではまず、一枚の絵について解説をしながらキリスト教絵画の見方、考え方について述べてみたいと思います。

対象作は、バロック期のイタリアの画家ミケランジェロ・メリージ・ダ・カラヴァッジョ[※67]のデビュー作《聖マタイの召命》[※68]（157頁図40）。当時、美術の中心地であったローマのサン・ルイージ・デイ・フランチェージ聖堂のコンタレッリ礼拝堂に設置された絵です。カラヴァッジョの《聖マタイの召命》はバロック美術の始まりを告げるものとして、西洋美術史上でも有名な作品です。

従来の宗教画にはない劇的な明暗の表現、リアリズムに貫かれた描写が衝撃をもたらしました。現在でもこの絵を見ようと、各国から多くの人がサン・ルイージ・デイ・フランチェージ聖堂を訪れます。

この絵に描かれるのは、あるとき徴税所にキリストが入り、室内にいる徴税人のレビ（マタイ）に「私に従いなさい」と声を掛ける場面です。

※67　**ミケランジェロ・メリージ・ダ・カラヴァッジョ**
一五七一－一六一〇年。バロック絵画の成り立ちに大いなる影響を与えた画家。一般的には単に「カラヴァッジョ」と呼ばれるケースが多い。

※68　**召命**
神に選ばれ、呼び出され、救われること。神に召されて、使命を与えられることの意味でも使われる。

図40　カラヴァッジョ《聖マタイの召命》 1600年 サン・ルイージ・デイ・フランチェージ聖堂コンタレッリ礼拝堂（ローマ）

呼び掛けられたレビはすぐさま立ち上がり、キリストとともに徴税所から出て行きます。レビはのちにキリストの弟子である十二使徒の一人、マタイとなって新約聖書の「マタイによる福音書」を書き記します。ルネサンス以降の宗教画の特徴として、《聖マタイの召命》は物語のエピソードの前後の動きを感じさせる表現です。

五人のうち、誰がマタイなのか？

宮下　まず、画面右の指を突きつけている男がイエス・キリストであることはわかります。しかし、絵の中でテーブルを囲む五人のうち、いったい誰がマタイなのか？　真相をめぐる議論がかねてから繰り返されてきました。いわゆる「マタイ論争」「マタイ問題」です。

かつての有力な説は、マタイは中央にいて自分のことを指す、身なりがよくて立派な髭をたくわえた紳士ではないか、というものです。

しかしよく見ると、その紳士の指は自分自身ではなく、隣の人を指しているようにも見えます。

そして一九八〇年代後半から、画面左にいる、うつむいて手元のコインを見つめている若者こそがマタイではないか、という説が出てきました。しかし、美術史学界・カラヴァッジョ研究の第一人者の多くはかつての紳士説をいまなお支持しています。マタイ＝若者説を支持するのは比較的新しい世代の研究者たちで、いまなお少数派です。

研究者の多くは「中央の髭の紳士がマタイである」という主張を曲げていません。理由は、五人のうちの三人はキリストに顔を向けているのに、若者はキリストに目を向けず、お金だけを見ている。このような不敬な者がマタイであるはずがない、というものです。

最近では「髭の紳士も若者も、どちらもマタイでありえる」という新たな説も加わり、マタイ論争は継続中です。つまり《聖マタイの召命》は、西洋美術史の教科書で必ず取り上げられるほど有名な作品であるにもかかわらず、主要人物が特定できない一枚なのです。

最も汚れた者が崇高な使命を得る

佐藤　従来の「お金だけを見ている者がマタイであるはずがない」という説について、逆にキリスト教の原罪という点を考えるならば、まさにお金しか見なかった者が真の信徒になりうる、という回心が想像できます。最も低いところにいる貧しい者や苦しい者、すなわち最も汚れた者が崇高な使命を得る、というキリスト教の見方からすると、若者がマタイであるという説は神学的な説得力があります。

徴税人という職業は、かつてのユダヤ世界では「罪人」と同義でした。当時の税制では終日働いた収入が一デナリオン[※69]で、一カ月分の税金に相当する。税率は三・三％ほどで、現代と比較するとかなりの低税率です。

しかし、税金と引き換えに得られる行政サービスや福祉の保障がなく、税金

※69 デナリオン
紀元前二一一年頃から流通した古代ローマの銀貨。一デナリオンは、一ドラクメと等価で、一日の労働者賃金に値する。

というよりもむしろ「収奪」でした。その徴税を司る人間が蔑視の対象になったことは、想像に難くない。

デナリオン銀貨のトリック

佐藤　余談ですが、聖書のなかにイエス・キリストのずるさを示す興味深いエピソードがあります。神殿の境内で、イエスに向かって祭司長や律法学者、長老たちが「(先生)、皇帝に税金を納めるのは許されているでしょうか」と尋ねる。当時、ローマ皇帝への納税をめぐって容認のヘロデ派と反対のパリサイ(ファリサイ)派※70が鋭く対立しており、イエスが肯定しても否定しても、窮地に陥れられるのが目に見えていた。

ところが、イエスは質問者に「デナリオン銀貨を見せなさい」という。ここに一つのトリックがあります。

デナリオン銀貨にはローマ皇帝の絵が刻印されており、「神」と書かれていま

※70　パリサイ(ファリサイ)派
古代イスラエルのユダヤ教の宗派。現在はユダヤ教正統派と呼ばれる。

す。ところが当時の律法で偶像が刻まれた銀貨、つまり神ではないものを神殿内に持ち込んだ人間は、質問をする権利を失ってしまう。イエスはこうして相手の質問や反論を封殺してから、有名な「皇帝のものは皇帝に、神のものは神に返しなさい」という言葉を発します。神殿に銀貨を持ち込ませた時点でイエスの勝ちであり、相手は負けていたのです。

宮下　じつに狡猾ですね。

何もかも捨てて立ち上がる

宮下　《聖マタイの召命》に描かれたレビをキリストが呼ぶ場面は、福音書のマタイ伝とマルコ伝、ルカ伝に出てきます。いずれもシンプルな記述で、なかでもルカ伝を見ると、レビが何もかも捨ててイエスに従ったことが次のように記されています。「その後、イエスは出て行き、レビと言う徴税人が徴税所に座っているのを見て、『私に従いなさい』と言われた。彼は何もかも捨てて立ち上が

り、イエスに従った。」（ルカ五：二七–二八）

レビは、徴税人という実入りのいい仕事を捨ててまでイエスに付き従った。また佐藤さんのご指摘どおり、徴税人という忌み嫌われた者を弟子として選んだのも重要な点です。

カラヴァッジョの絵画をもう一度見ると、たしかに中央の紳士は明らかにイエスのほうを向いており、彼に従おうとしているようにも見えます。一方、若者のほうはイエスの到来に気づいているか否かも怪しい。しかしイエスの声が届いた瞬間、伏せていた顔を上げ、「何もかも捨てて」呆気にとられる人びとを尻目に部屋を出て行くほうがよりドラマチックですし、最も低い者、最も救われないような者こそが救われる、という解釈ができます。

佐藤　いまの福音書の引用を読んでもう一つ、明らかになった点があります。召命の条件です。すなわち、キリストに召命を受けるのは、特定の名指しされた人間でなければならない。その場にいる全員に向かって「私についてきなさい」というのは召命ではない、ということ。特定の人間に、特定の場所で声を掛けることが必要であり、だからこそ「誰がマタイなのか」が論争になるわけです。

ミケランジェロのアダムを反転させた

宮下　さらに、この絵に描かれた「キリストの手」に注目したいと思います。カラヴァッジョは《聖マタイの召命》で、ミケランジェロがヴァチカンのシスティーナ礼拝堂の天井に描いた《アダムの創造》[※71]（165頁図41）を参照しています。さらにカラヴァッジョは、ミケランジェロの描いたアダムの手をあえて左右反転させてキリストの手を描いている。いったいなぜなのか。

アダムは最初の人間であるとされます。アダムによって原罪が生まれ、キリストが生まれました。カラヴァッジョはアダムの手を反転させる表現によって、キリストが「第二のアダム」であること暗に示しているのです。この絵を見た当時の知識層は、ミケランジェロに由来する表現であることを理解していたと思われます。

※71《アダムの創造》最初の人類たるアダムに、神が生命を吹き込む光景を表現した絵画。

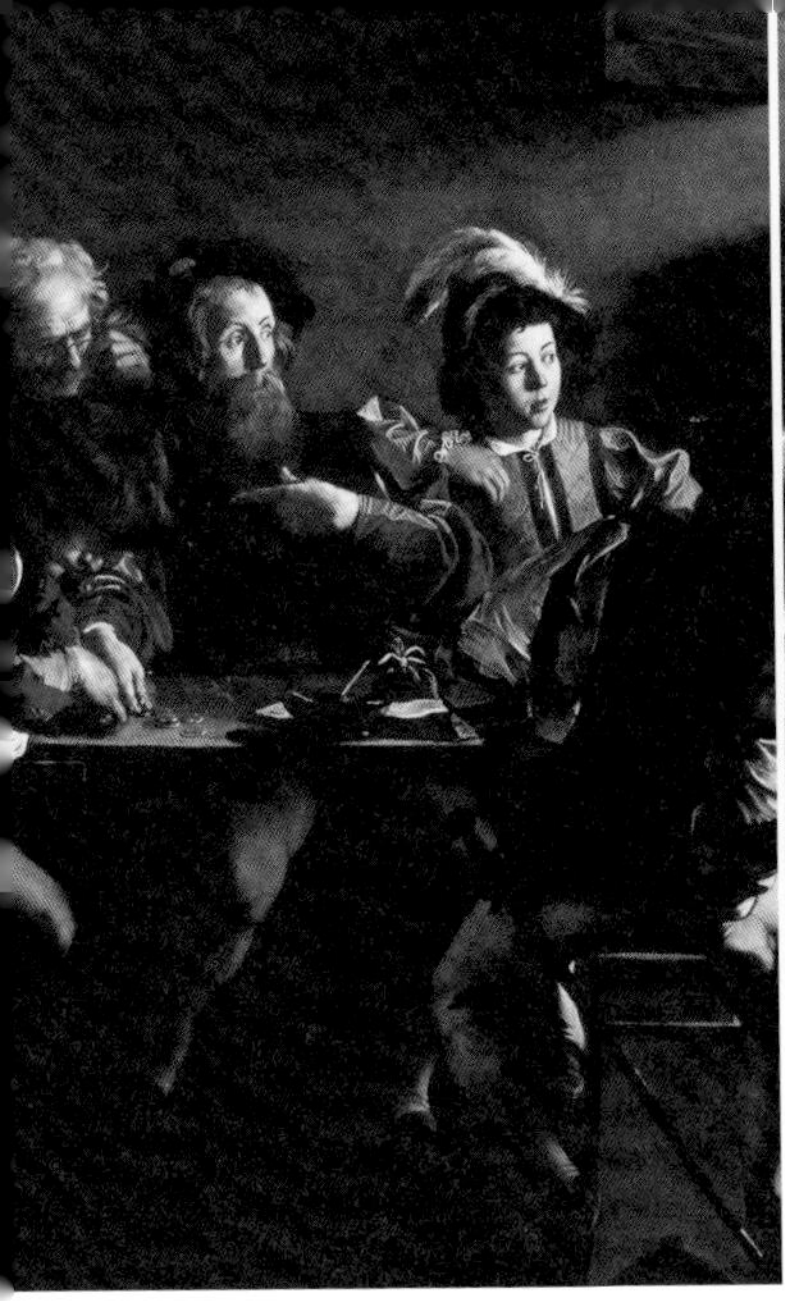

図41　ミケランジェロ《アダムの創造》部分

図42　カラヴァッジョ《聖マタイの召命》部分

また、上部掲載の図41の真ん中の髭の男の右手を見てください。彼の右手の手つきは「払う手つき」という、西洋美術でしばしば見られるポーズです。

いまでもイタリアではスーパーマーケットでお金を払うときなど、このジェスチャーを使います。

さらに、この男を含め、帽子を被っている三人はいずれも税金を納めに訪れた人たちで、「払われる側」ではない。つまり帽子を被っていない左の二人のうち、どちらかが徴税人＝マタイということになります。

件の若者はお金を見つめ、手に財布を握り締めています。貪欲な性格のように見える半面、葛藤を抱えているようにも映ります。

伏せた顔の半分にしか光が当たっておらず、それだけに光に向けて顔を上げる次の劇的瞬間が予想される。つまり本作はクライマックスの場面ではなく、クライマックス直前の時間を切り取って描いたものではないか。

また、私がサン・ルイージ・デイ・フランチェージ聖堂で《聖マタイの召命》の現物を見て気付いたのは、若者が大きく見えること。図版や本の場合、絵を正面から見るので、どの人物も同等に見える。しかし、実物の絵は聖堂の高いところに設置されており、見上げる角度になっています。すると、人物のあいだに大小関係が生じる。実際の展示を見てはじめて「若者が重要人物である」と感じるのです。

美術の鑑賞は、実際に展示された空間へ行って見ないとわからないことが多々あります。読者の方々には、新型コロナウイルス感染が終息した暁にはぜひ一度、現地でご覧になることをお勧めします。

カトリックとプロテスタントの違い

宮下　《聖マタイの召命》をめぐっては、カトリックとプロテスタントのあいだでも解釈の違いがあります。

カラヴァッジョにこの絵を注文したサン・ルイージ・デイ・フランチェージ聖堂は、フランス人のための教会でした。ブルボン朝初代のフランス国王アンリ四世は一五九三年、ユグノー（プロテスタントのカルヴァン派）からカトリックに改宗します。そして一五九八年にナントの勅令[※72]を発してカトリックとユグノーを容認し、宗教改革の動乱を収めます。

一五九九年から制作を始めて一六〇〇年に完成した《聖マタイの召命》は、アンリ四世のカトリック改宗[※73]を記念し、カトリックの勝利を称える、という側面もあるのです。

※72　ナントの勅令
一五九八年、フランスのアンリ四世がプロテスタントの信仰を認めた法令。

※73　アンリ四世のカトリック改宗
幼い頃からユグノーだったアンリ四世は一五七二年に婚礼の際にカトリックに改宗したものの、一五七六年にプロテスタントに復帰。その後、再びカトリックに改宗し、ナントの勅令を出した。

宗教改革をめぐるカトリックとプロテスタントの相違は多数ありますが、その一つは、目に見えない神の恵みを示す印や儀式＝「サクラメント」[※74]です。日本語でサクラメント（sacrament）をカトリックは「秘跡」、プロテスタントは「礼典」、正教会は「機密」と訳します。

カトリックには洗礼、堅信、聖体、ゆるし、病者の塗油、叙階、結婚という七つの秘跡があります。一方、プロテスタントの礼典は洗礼と聖餐の二つのみです。プロテスタントのなかにはクエーカー（キリスト友会）のように、サクラメント自体を否定する教派もあります。

一所懸命に働くのが「予定説」

宮下　プロテスタントにも、大別して二つの考え方があります。一つはカトリックのエラスムスやプロテスタントのルターが唱えたように、回心して神のほうを向けば誰もが救われるという教え。もう一つはカルヴァンやツヴィング

※74 サクラメント
イエス・キリストによって定められたと考えらえる、神の恩恵にあずかるための教会の儀式。

りのように、救われる人はあらかじめ定められている、という教え。後者を「予定説[※75]」といいます。

言い換えれば、生まれながらに救われない人間がいる、ということです。ただし自分が救われるか否かは前もってわからず、救われると思って現世を一所懸命、生きなければならない。救済を求めて与えられた仕事に精を出す、というのがカルヴァン派の予定説です。

「召命」は英語で「コーリング（calling）」、ドイツ語では「ベルーフ（Beruf）」といい、職業や仕事という意味が含まれています。神が導いた天職というニュアンスで、神の呼び掛けに応じて誠実に働き、成功を収めることが救いの証となるわけです。

また、カトリックとプロテスタントではお金に関する価値観も大きく異なります。カトリックでは金儲けは悪であり、利子を取ってはいけない。余剰のお金は貧者に分け与えるのが正しい、と聖書の教えどおりに説きます。

他方で、プロテスタントは現世の仕事に励み、利益は投資に回して事業を拡

※75 予定説
キリスト教の教えのひとつ。人が救われるのは、人の意志や能力によるものではなく、神の恩寵によるものとする考えのこと。

大することを善と捉えます。
この禁欲的労働から資本主義が生まれた、とするのがマックス・ヴェーバー[※76]の『プロテスタンティズムの倫理と資本主義の精神』(岩波文庫)。資本主義の起源はさておき、プロテスタンティズムの精神が産業の発展にある程度、寄与したのは事実でしょう。

佐藤 カトリック国のスペインやポルトガルは元来、新大陸から膨大な富を持ち返ったアドバンテージがあります。資本主義がスペインやポルトガルから始まっても不思議ではなかった。

ところが、両国とも没落してしまった。この人たちは、カトリック教徒なので死後の世界のため、稼いだ富をすべて教会に寄進してしまったからです。大航海時代に大きな教会が各地に設立されて聖職者が潤う半面、教会に富が蓄積されてしまい、産業の振興に結びつかなかったのです。

※76 マックス・ヴェーバー 一八六四―一九二〇年、ドイツ生まれ。政治学者、経済学者。西欧近代の文明の根本的な原理は合理性であると提唱した。

自由意志の救済か、予定説か

宮下　《聖マタイの召命》の解釈に関しても、カトリックとプロテスタントでは異なるものになります。まず、キリストがレビを指して呼び掛け、レビは自分の意志で召命に応じます。

これを自由意志[※77]によるものとするのがカトリック。予定説によるものとするのがプロテスタントです。自由意志説は、自力で悔い改め、善行を積めば救われるという立場を取ります。したがって「キリストのほうを見て自らを指し、立ち上がろうとする中央の髭の紳士こそがマタイである」と考える。

ところがその半面、カトリックの見方は「誰もが救済されうる」というものです。したがって若者であろうが、画中の他の四人であろうが、全員が召命を受けて救われる可能性があるのです。強いていえば一見、最も救いから遠いと見られる若者ではないか、と考える。浄土真宗の悪人正機説に近い考え方ですね。

※77 自由意志
他者からの拘束や強制がなく、自らの行動を自発的に決定できる意志のこと。救済が神の恩寵なのか、それとも人間の自由意志なのかを巡る問題は、現在も論争が続く。

「信仰」即「行為」

佐藤　カルヴァンの予定説は、正確には「二重予定説[※78]」といいます。カトリックの倫理では、教会に所属して正しい行為をする者が救われる。つまり「信仰」と「行為」の両方が重要であり、信仰だけではいけない。悔い改め、行動するよう説くわけです。

ところがカルヴァンの発想では、信仰と行為を分離すること自体が間違いなのです。「信仰」即「行為」であり、信仰とはイコール行為なのです。

カトリックのように信仰と行為を分離して、「と」で繋いでいくという発想自体を否定しました。神の子イエス・キリストが貫いた原則は「信仰」即「行為」、「行為」即「信仰」でした。信仰と行為を分離しない生き方により、イエスは苦難の道を歩むことになる。プロテスタント神学が重視するのは、「苦難を経由した自由の獲得」というかたちの弁証法神学[※79]です。

この視点から《聖マタイの召命》を読み解くと、興味深い。すでに自覚的に

※78 二重予定説
カルヴァンは、神に救済される者と滅びに至る者はあらかじめ定められているとする二重予定説を唱えた。

※79 弁証法神学
限界ある人間の認識で超越的な神を知ることはできないが、神の言葉への信仰を弁証法的な論理によって表象することで克服されると説く。自由主義神学を超える運動として、カール・バルト、フリードリッヒ・ゴーガルテンを中心に提唱された。危機神学、神の言葉の神学ともいう。

行動を起こしているのがマタイなのか、いまだ無自覚に伏せっているのがマタイなのか。宮下さんが話したカトリックとプロテスタントの解釈の違いのなかで、事後的に絵の見方が変わってくる。この理解が重要だと思います。

カラヴァッジョは《聖マタイの召命》を描いた時点で、信仰と行為の分化について意識していなかったはずです。にもかかわらずこのような描写を行なったのは、無意識に分節化された信仰の領域があったものと思われます。このような違いをおのおの解釈していくのが面白いと思います。

宮下　見る側が思い思いに自分の立場や心情を絵に投影している。たしかに絵の見方は一つではないし、むしろ多様な解釈の広がりを許容し、惹起するのが優れた作品である、ということもできます。

聖書は「開かれたテキスト」

佐藤　おっしゃるように、優れた絵画は文学や哲学のテキストと同じように必ず複数の読みができます。しかも、複数の解釈がどれも首尾一貫している。こうした作品に数多く触れることは、社会生活を営むうえでも有益です。

たとえば会社や組織のなかで起きるさまざまなトラブルや対立も、文脈の見方を変えるとまったく別の見方ができる、ということです。

主張の食い違った意見の対立も、各人のなかの論理では首尾一貫しているわけです。解釈学の視点でテキストを読解する力があれば、社会の対立が崩壊にいたる道を防ぐことができるかもしれない。これは他者の考え方、内在的な論理を理解するということでもあります。

宮下　意見の並存を認めると、往々にしてわれわれは混乱状態に陥りますね。

佐藤　そのとおりです。しかし、それこそドイツの哲学者マルクス・ガブリエルではないけれども「世界は存在しないが、それぞれの意味の場は存在する」。正しい解釈が複数あり、それらをおのおの絶対的に信じる人によって世界が構成されている。つまり、われわれの世界は相対主義ではない。ただし、他者が別の見方をもつ可能性に対しては開かれている、といえます。

宮下　その点からすると、絵画や聖書はまさに多様な見方、考え方を許容する「開かれたテキスト」ですね。

佐藤　裏を返すと、もし聖書が複数の読みができないテキストだったら、キリスト教は世界宗教にならなかったでしょう。コーランにしても法華経にしても、聖典は複数の読みが可能です。半面、宗派の対立や宗教戦争のリスクもあります。

宮下　解釈の自由があるのは美術作品も同じで、だからこそ《聖マタイの召命》が世界的に有名になったのと同時に、マタイ論争に現在も決着がつかないのでしょう。

同じ画題を二枚続けて描いた《聖マタイの霊感》

宮下　ローマのサン・ルイージ・デイ・フランチェージ聖堂には、カラヴァッジョが制作したマタイの三点の連作があります。

図43　カラヴァッジョ《聖マタイの殉教》1599－1600年 サン・ルイージ・デイ・フランチェージ聖堂コンタレッリ礼拝堂（ローマ）

図44　カラヴァッジョ《聖マタイの霊感》（第一作）1602年頃 カイザー・フリードリヒ美術館旧蔵（ベルリン／1945年に消失）

図45　カラヴァッジョ《聖マタイの霊感》（第二作）1602年　サン・ルイージ・デイ・フランチェージ聖堂コンタレッリ礼拝堂（ローマ）

一つが先ほどの《聖マタイの召命》であり、残りの二つはエチオピアでマタイが殉教する場面を描いた《聖マタイの殉教》（176頁図43）、天使とともに福音書を執筆する姿を描いた《聖マタイの霊感》（177頁図45、《聖マタイと天使》とも呼ばれます）。

当時、教会の壁画はフレスコ画が主流でした。しかし異例なことに、カラヴァッジョの三連作はいずれも油彩画であり、キャンバスが壁に掛けられている。

じつは三連作のなかの《聖マタイの霊感》を描く前に、カラヴァッジョは同じ画題の絵をもう一枚、描いています。便宜上、ここでは先に描かれた絵を第一作、あとのほうを第二作と呼びます。

ではなぜ、カラヴァッジョは同じ画題を二枚続けて描いたのか。理由は、初めの絵がボツになったからです（異説もありますが）。

《聖マタイの霊感》の第一作（176頁図44）を掲示したところ、評判があまりに悪く、依頼主である教会の意向を受けて急ぎ、描き直す羽目になってしまった。

原因はおそらく、マタイの顔つきがあまり知性を感じさせない無骨な農夫のようだったことや、マタイの生々しい足がむき出しで突き出ているうえ、天使とマタイが戯れているように見えたからだと推測されます。第二作でカラヴァッジョは、マタイを身なりのよい知的な風貌の立派な紳士として描き、足も覆い、天使との距離を離しています。

第一作と第二作のもう一つの違いは、第一作ではマタイが頁を開いている書物にヘブライ語が読み取れます。

実際の新約聖書はギリシャ語で記されましたが、当時の知識人の間でヘブライ語が小さなブームになり、インテリ層はヘブライ語に遡って旧約聖書を読んでいた、という動向をカラヴァッジョは反映させたのです。

なお、第一作はいまでは見ることがかないません。第二作はいまも礼拝堂の壁に掲げられていますが、残念なことに第一作のほうは第二次世界大戦時に消失してしまったからです。

同じ椅子に座っている!

宮下　ここで第一作の《聖マタイの霊感》を、先ほどの《聖マタイの召命》と比べてみましょう。《聖マタイの召命》でお金を見つめる若者と第一作のマタイは、よく見ると風貌が似ています。さらにもう一つ、共通点があります。じつは二人とも、同じ椅子に座っているのです。

図46　カラヴァッジョ《聖マタイの召命》部分

《聖マタイの霊感》(第一作)でマタイはX字型をした「サヴォナローラ椅子」と呼ばれる椅子に同じ姿勢をして座っています。上部掲載の《聖マタイの召命》で若者が座っているのもサヴォナローラ椅子で、椅子の向きも同じ。つまり、やはり先ほどの若者こそがマタイなのではないか、ということです。

時系列で見ると、お金を見つめてうつむく若者がキリストに召命を受けて弟子となり、やがて天使と一緒に福音書を書くようになる、という劇的な変貌ぶりが伝わります。しかし第一作がボツになってしまったがゆえに、二つの絵を関連付ける人がほとんどいなかった。

もしかするとカラヴァッジョは、《聖マタイの召命》で若者をマタイとして描き、《聖マタイの霊感》の第一作とともに見れば人物の特定は明らかだと思っていたところ、《聖マタイの霊感》の描き直しを命じられてしまった。その時点で、マタイの特定にこだわって表現するのをやめてしまったのかもしれません。

キリストの呼び掛けを描いた《聖パウロの回心》

宮下　最後にこのマタイ連作の直後に描かれた、《聖パウロの回心》（184頁図47）を見てみましょう。本作のテーマは「キリストの呼び掛け」であり、前述の《聖マタイの召命》と相通じるものです。

かつてイエスの信徒を迫害したユダヤ教徒のパウロは、回心してキリスト教徒に帰依します。当時はカトリックの改革期にあたり、この一大事件をテーマに多くの画家が絵を描いています。なお、プロテスタントのルターもパウロが大好きでした。

佐藤　パウロはプロテスタントに好かれますね。スイスの哲学者カール・バルトは、第一次世界大戦に直面して著書『ローマ書講解』（平凡社ライブラリー）でパウロのテキスト再読を行なっています。前に述べましたが、パウロ、ペトロ、ヨハネの三人のうち、カトリックはペトロを好む傾向が、正教はヨハネを好む傾向があります。

十九世紀末のロシアにウラディーミル・ソロヴィヨフ[※80]という有名な宗教哲学者がいます。

彼は著書『三つの会話 戦争・平和・終末』（刀水書房）のなかで「反キリストに関する短篇物語」という世界終末をめぐるフィクションを書いています。そ

※80　ウラディーミル・ソロヴィヨフ
一八五三－一九〇〇年、ロシア生まれの哲学者、詩人。

の敵役として登場するのが、何と日本なのです。

二十世紀初頭、ヨーロッパがイスラムとの決戦に忙殺されている隙にアジアの東端から日本が台頭し、汎蒙古主義を唱えて中国と手を結ぶ。旧満州王朝を打倒して代わりに日本朝廷の代理政府を樹立し、世界制覇を目論むというストーリーです。

この政治と社会、宗教をめぐる混乱状況のなかで、自分を神の後継者と見なす偽キリストが登場します。神の敵・詐欺師からキリスト教世界を守るため、カトリックの教皇ペトルス二世（ペトロ）、プロテスタントの神学者パウル（パウロ）、正教会の長老イオアン（ヨハネ）が共に立ち上がる、という物語。黄禍論、日本脅威論の先駆けです。

ソロヴィヨフは革命前のロシア社会に強い影響を与え、帝政崩壊に一役買いました。日本では、思想家の大川周明や法学者の田中耕太郎が影響を受けています。

図47　カラヴァッジョ《聖パウロの回心》 1600年 サンタ・マリア・デル・ポポロ聖堂チェラージ礼拝堂（ローマ）

パウロの脳内だけで起きた現象

宮下　パウロの回心のエピソードは『使徒行伝（使徒言行録[※81]）』に三回（九章、二二章、二六章）出てきます。エピソードが出てくるたびに微妙な描写の違いがあって、パウロはキリストの声を聞いて回心するのですが、キリストの声は聞こえたものの、神の姿は見えなかったという。ところが別の箇所では、周囲の人は、辺りを強い光が照らしたが声は聞こえなかった、と矛盾した記述があります。

右頁に掲載したカラヴァッジョの《聖パウロの回心》を見ると、パウロは地に倒れ、目を閉じて手を広げています。しかし傍に立つ人や馬は、キリストの放つ光線のような光に気づいていない。

この表現から読み取れるのは、回心というのは大規模でスペクタクル的なものではなく、パウロの中だけで起きた現象であるということです。「回心はパウロの脳内現象だった」という解釈は、キリストの姿がどこにも描かれていない

※81　『使徒行伝（使徒言行録）』　新約聖書中の一書。キリスト教の最初期の様子が綴られている。

ことからも窺えます。

『使徒行伝』からも、実際はこの絵のとおりだったと推測できます。つまり、パウロがアグリッパ王への弁明で、自分と周りの人が強い光に照らされた、と語る話は虚言だった。落馬して後頭部を打った際、あるいは自分の胸のうちでキリストの声を聞いたのかもしれません。

しかしそもそも奇蹟とは、全員の目に見えるような客観的な現象ではなく、当事者の脳内に映るものではないか――そのような解釈に基づいてカラヴァッジョが描いたのが《聖パウロの回心》だと思われます。

《聖マタイの召命》にせよ《聖パウロの回心》にせよ、カラヴァッジョは伝統的に繰り返し描かれてきた聖書の主題について、つねに自分なりの解釈を試みました。この挑戦する精神が、バロックという従来にない表現を美術史にもたらしたといえます。

見る者が作品をつくり出す

佐藤　絵画を見るという行為は、描かれた絵と見る側のインタラクション（相互作用）を伴います。とくに宗教画の場合、「イコンを通じて神を見る」という明確な目的と作用がある。《聖マタイの召命》という絵の目的は、神の呼び掛けという圧倒的な力に従う人間の姿を説くことにあります。したがって「誰がマタイか」についてはあえて特定せず、鑑賞者の解釈に任せるということもできます。

たとえば作家の書いた文章が入試に使われたのち、出題された問題を本人が解いてみると間違っていた、というケースがあります。これは起こりうることで、テキストはいったん書かれて世に出たら、著者の意図を超えてさまざまに解釈されるものだからです。逆にいえば、本の読者や絵の鑑賞者には「誤読する権利」がある。

宮下　たしかに、絵画にも「見る者が作品をつくり出す」という側面があります。作者の手を離れたのちの作品はひとり歩きをするものだし、見る人がいなければ作品は存在しないも同然で、見る側の解釈があって作品ははじめて成立する。文学理論に、フランスの哲学者ロラン・バルトが唱えた「作者の死」という概念があります。テキストを書いた作者は絶対権力者ではなく、作品は読み手の無数の解釈に開かれている、という。

作者に読み方を限定する権限はなく、《聖マタイの召命》にしても、カラヴァッジョの意図とされるものから離れて「髭の紳士がマタイである」と受け取った人がいても、必ずしも批判すべきものではありません。

佐藤　とくに宗教画を見る際、絵はあくまでも「窓」にすぎません。感じ取るべきものは窓の向こう側にある。近代的な作家と読者という関係モデルから一歩、踏み出す必要があります。

宮下　私たち美術史家も自戒を込めていえば、新聞記事やテレビの美術番組では、美術家に「なぜその作品をつくったか」という意図を聞きたがる傾向が強い。しかし作者が語ったからそれが答えだ、とはいえません。それどころか、作り手はじつは何も考えていないことも多い（笑）。自作について「いや、たまたまできちゃって」ということもあるはずです。でもそれでは話にならないので、表向き「こういう思いを込めました」というのですが、後づけの理屈である場合がほとんどです。

一般の人は、美術作品をつくる際にあらかじめ考えやプランがあり、青写真をもとにかたちにする作業と考えがちです。たしかに習作、デッサンを行なうことはあります。しかし、それは頭で考えるというより「手で考えている」。

佐藤　作家も同じですね。私の場合は少し変わっていて、条件は最終行が頭に浮かぶこと。あとは自動筆記のような感覚で、ただ書き進めていくだけです。

宮下　したがって、手で考える人に対してあれこれ意図を尋ねてもあまり意味がない。

佐藤　美術にせよ文学にせよ、メディアは著者に対して安易に狙いを聞きすぎるし、作家もサービス精神で答えすぎる。もう一つは日本独特の座談会文化で、同じ分野の作家や評論家が頻繁に会いすぎる。

ロシアの場合、雑誌やテレビで座談会のようなものは滅多にやりません。とくに同じジャンルの作家や評論家は距離を置くのが普通です。

理由を聞くと、仮に人間的に波長が合わない作家でも、書いたものがよければ自分は評価できる。しかし日ごろの付き合いで人間関係があると、駄作を書いたときに批判できない、という。互いの作品を正当に評価するには相手の人格を知らず、テキストだけを通じた関係がよい、と考えるのです。

したがって献本のやりとり程度はするものの、面と向かって会うことはあえて避けるのが原則です。だからこそ「人間関係が悪化したから相手の著作を貶める」という品性下劣なことも、「相手に忖度して作品の欠点を指摘しない」ということもありません。作家本人よりテキストを重視する解釈はロシアに限らず、ヨーロッパに広く浸透した文化だと思います。

第5章
美術鑑賞は宗教行為である

「見ずして信ずるものは幸いなり」

佐藤　前章で《聖パウロの回心》における奇蹟を「当事者の脳内に映るもの」と解釈した宮下さんの見解は、説得力があります。煎じ詰めれば、目で見て信じるものは宗教とはいえない、ということです。

宮下　キリストがトマスに語った言葉に「見ずして信ずるものは幸いなり」というのがあります。宗教においては「見えないものを信じることができるか」が問われます。

佐藤　加えて奇跡とは不特定多数ではなく、特定の人間に「召命」のかたちで顕現する。召命の原則について妥当な考察を行なっているのが、プロテスタント神学者ヨゼフ・ルクル・フロマートカ[※82]の『人間への途上にある福音　キリスト教信仰論』（新教出版社）です。

第一章で召命について論じており、個別・具体的な召命の在り方が記されています。召命に選ばれた者以外には神の声が聞こえず、当人が受け入れるか、

※82　ヨゼフ・ルクル・フロマートカ
一八八九―一九六九年、チェコスロヴァキアの北モラヴィア生まれ。プロテスタントの神学者。ナチス政権下にアメリカに亡命し、戦後、社会主義化したチェコスロヴァキアに帰国した。主な著書に『宗教改革から明日へ　近代・民族の誕生とプロテスタンティズム』（平凡社、二〇一七年）など。

拒否するかの二択しかない。

こうした考察は、じつはカルヴァン派の改革派[※83]神学にもあります。改革派以外で精緻な神学を構築しているのは、カトリックのトマス神学（トミズム）[※84]だけです。プロテスタントの改革派とカトリックのトミズムを除けば両者の変形・亜流であり、教義のアレンジの違いでしかありません。

キリスト教をつくったパウロ

宮下　その意味で、世界で初めてキリスト教という宗教を体系的につくり上げたのはパウロです。キリスト教の教義は、聖書に収められた四つの福音書だけでは成り立ちません。パウロがそれらを首尾一貫したものに編纂し、体系化したのです。

佐藤　「キリスト教の創始者は誰か」と出題された場合、高校のテストや大学入試では「イエス・キリスト」が正解。ところが、大学の神学部あるいは大学院

※83　改革派
ルター派に対し、ツヴィングリ派とカルヴァン派をさす呼称。神の言葉（聖書）に従った不断の改革を目指す。

※84　トマス神学（トミズム）
イタリアの神学者・哲学者のトマス・アクィナス（一二二五－一二七四年）が唱えた神学。

神学研究科の入試で同じ回答をすると、誤りです。

つまりキリスト教の教祖はイエス・キリスト、開祖がパウロなのです。キリスト自身は、エルサレム神殿（ヤーウェの聖所）を尊重するなど、旧宗教のユダヤ教を壊してゼロから新宗教をつくる、というつもりはなかった。またパウロはイエスと比べ、狡猾なマキャベリストです。回心前のパウロは、ベニヤミン族出身の厳格なパリサイ（ファリサイ）派の中心人物でした。パウロではなくサウロと名乗り、イエスを救い主と信じる人々を弾圧していました。

さらに、マタイが徴税人として虐げられ、ペトロがもとは漁師であるのに対して、パウロは律法学者ガマリエル一世のもとで学んだインテリです。パウロは、かなり高度な知的操作をすることができました。

他方、プロテスタントの主流派は主知主義の傾向があり、パウロとの親和性は高い。また、パウロ派はリゴリスティック（厳格）で道徳的、禁欲的な側面があります。エルサレムの宗教会議で割礼論争が起きたとき、パウロ派は割礼を否定しました。

使徒という言葉の定義が変質した

宮下　また、パウロは生まれつきローマ市民権を保有しており、コスモポリタン（世界市民）的な人でもありました。しかもパウロはイエスと会ったことがない。イエスの死後にキリスト教へ改宗した人物です。

佐藤　パウロという存在によって、使徒という言葉の定義が変質してしまった節があります。通常、使徒とは直伝を受けた者を指します。パウロはイエスから直接、教えを受けていないにもかかわらず、『使徒言行録』のなかで中心人物となっています。

さらに、『使徒言行録』がプロテスタントやカトリックでは『ローマ書（ローマの信徒への手紙）』に引き継がれるのに対し、東方教会は『ヤコブ書（ヤコブの手紙）』に引き継がれる。ハリストス正教会訳では『使徒言行録』の次が『ヤコブ書』です。

理由を推察すると、ローマに対する評価が挙げられます。『使徒言行録』はパウロがローマに入るところで終わり、『ローマ書』につながる構成になっている。最後の場面として記されたローマは、特別の地位に映ります。一方、『ヤコブ書』ではローマは他の土地と同じフラットな扱いで、あくまでも一都市という位置付けです。

あまり聖書を読まないイタリア人

宮下　第一章で佐藤さんが、ロシアの一般人は聖書を読む習慣がない、という話をされました。じつは、イタリア人も意外に聖書をあまり読みません。プロテスタントは聖書を第一に考えますが、カトリックの支持者が多い地域では聖書を重視しない傾向がある。日本人が「キリスト教徒の家には必ず聖書がある」と思うと案外、置いていないので驚きます。

佐藤　前述した福音経の教えの影響も強い。『四福音書』、十字架への接吻が聖書を読むのと同じになるわけです。

宮下　まさに一種のイコンですね。イコンと聖書を分離し、聖書に特権的な位置を与えるテキスト至上主義者が、プロテスタントのなかにも少なからずいます。

佐藤　したがって、われわれは「聖書は書かれたイコンである」という言い方をします。聖書のテキストがイコンに優先するわけではなく、テキストもイコンも等しく二次的なのです。

聖書を読まずにイコンを拝む人を馬鹿にするようなインテリは、キリスト教のことが何もわかっていない。しかしその半面、文字を重んじるプロテスタントのテキスト至上主義は、近代合理主義と合致して近代社会のなかで発展、拡大しました。

場所と信仰は切り離せない

佐藤　ところが本書の冒頭で述べたように、世界中でいま近代化以降のシステムに綻びが生じています。現代思想家たちが喧伝したポストモダンの時代はいつまでたっても来ません。であればもう一度、近世以前のルネサンスとキリスト教に立ち返る必要があります。

宮下　近代への反省はいまいたるところで起きており、まさに「テキストを絶対視しないこと」もその一つだと思います。具体的にいえば、「巡礼」の大切さ。聖書に記された聖地へ、実際に足を運ぶことの重要性です。

プロテスタントのなかにはそもそもエルサレムに行く、という発想が希薄です。他方、イスラム教は聖地巡礼を重視し、定時にメッカの方向へ礼拝するなど「場所」をつねに意識します。

キリスト教も元来、場を重視する宗教です。教会を建てるときは、キリスト教が伝わる前に他宗教の神殿やシナゴーグ※85が建っていた跡地を選びました。聖地というのは定められたものであり、いくら便利な場所だからといって縁もゆかりもない土地に教会を建てても、人びとは集まりません。

ローマのサン・クレメンテ聖堂へ行くと、地下に古代のミトラ教の神殿跡が

※85 シナゴーグ　ユダヤ教の会堂のこと。礼拝のみならず、教育や集会などの場として活用されている。

あり、由緒ある歴史をそのまま体感できます。このように「場所と信仰が切り離せない」と考えるのが、宗教の伝統です。

「上書き」される神の場

佐藤　それはキリスト教に限った話ではありません。近年ニュースになったイスタンブールのアヤソフィア[※86]は最初、キリスト教正教会の大聖堂として建てられました。その後、ラテン帝国の支配下でローマ・カトリックの教徒大聖堂となり、さらにオスマン帝国によるコンスタンティノープル陥落後はイスラム教のモスクとなります。オスマン帝国の滅亡後はトルコ共和国のアタテュルク大統領が世俗化して博物館にし、二〇二〇年にエルドアン大統領によって再びモスクとなったのです。他にも、イスラム教のアル＝アクサー・モスクがエルサレム旧市街にあるユダヤ教の聖域「神殿の丘」の南に建てられるなど、神の場が「上書き」される例は存在します。

※86 アヤソフィア
東ローマ帝国の遺構であり、ビザンツ建築の最高傑作と目されることが多い。

宮下　ところが、一部のプロテスタントの発想からはこうした「場」の伝統が抜け落ちてしまう。

佐藤　プロテスタントは、聖地を巡礼しない代わりに「心の場」を重視します。すると、心理作用と神の区別がつかなくなってしまう。これは自己絶対化の発想につながります。キリスト教が忌避する自己義認（本来、神によって人が義とされるのを人が自ら義とすること）のリスクが高い。

宮下　その点、神道は文字すらありませんからね。日本人は目に見えない神道的な部分を、精神のどこかに宿している。初詣に代表されるお参りや、お祭りなど特定の日に特定の場へ出かける習慣が根強く、パワースポット巡礼がブームになる国柄でもあります。たしかに名刹・古刹があるような山に行くと、ただならぬ霊気を感じることがあります。

　キリスト教における教会の役割の一つも、皆が一堂に会して祈り、賛美歌を歌うことで「場の空気を共有する」ことにあります。言葉にし難い「気」を感じることが、目に見えない宗教の本質ではないでしょうか。

大学巡礼

佐藤　したがって、オンライン参拝やバーチャル神道にはどこか無理がある。この点は、コロナ時代の教育のあり方とも関連します。

アメリカの大学ではコロナ禍以前から、事前にインターネットで講義を聴講してから実際の大学に登校し、対面で授業を受けるスタイルが主流でした。しかし、日本ではオンライン授業はいま一つ評判が悪い。

教員と学生が対面授業を目的に大学に集まるのは一見、非合理的です。しかし「場」を重んじるという先ほどの巡礼の発想に立てば、大学のキャンパスへ足を運ぶことには何らかの意味がある。日本の教育には神道的な側面がある、ということです。

サイバー大学は技術面では何ら問題なく、実現可能です。事実、私が客員教授を務める同志社大学では、数年前からサテライト（衛星）講義を東京と、京都の京田辺、今出川の三つのキャンパス間で行なっています。

東京から京都の学生を相手に講義をすると、皮膚感覚でバーチャルと対面の決定的な差を感じることがあります。対面ですでに会ったことのある学生相手のサテライト講義は学習・教育効果があるけれども、最初からサテライトだけの講義は何かしら要点が欠落してしまう。

日本の神道や仏教が培ってきた伝統や文化的拘束性を無視したかたちで、アメリカとまったく同じサイバー大学を機能させるのは難しいのではないか。

宮下　大学が巡礼の場に近い、という考え方は面白いですね。以前に評論家・浅羽通明氏が『大学で何を学ぶか』（一九九九年、現在は幻冬舎文庫）で、江戸時代のお伊勢参り（お蔭参り）と大学の共通点について触れています。

お伊勢参りは家柄・身分に関係なく一生に一度、仲間とともに伊勢神宮を詣で、同時に京都に足を運んで文化の中心を観光して故郷に戻る。そして生涯、伊勢や京都の思い出を懐かしんで思い返す、というものです。

浅羽氏は貧しい庶民でもお伊勢参りに行ける文化を、戦後の大学全入時代の日本になぞらえました。特定の場に集まった同世代の人間が四年間を過ごしたのち、離れ離れになるけれども、同じ時間を過ごした人間関係は生涯にわたって続く、という文化です。

在宅のリモート講義や独学では得られない

佐藤　浅羽氏とは別のかたちで似た現象を記したのが、アメリカの政治学者ベネディクト・アンダーソンです。著書『想像の共同体――ナショナリズムの起源と流行』（書籍工房早山）のなかで、中南米の植民地に設立された大学に通う若者のあいだでエリートのナショナリズムが醸成された、という旨を書いています。

日本でも、たとえば神戸大学の出身者は、高台のキャンパスから見下ろす海や洋風の街並みなどの「原風景」を共有しています。同様に、同志社大学の赤レンガ建築や東京大学の赤門、早稲田大学の大隈講堂、そして慶應義塾大学の学生が三田から遊びに繰り出す銀座の交詢社周辺の風景などが、卒業後も各人の記憶に焼き付いている。

宮下　さらに、お伊勢参りの「参宮兄弟」が一種の契りを結ぶように、大学時代の友人は利害関係のない一生の付き合いになることが多い。仲間と触れるキャンパス経験のメリットは、在宅のリモート講義や独学では得られません。

佐藤　さらに、独学はどうしても独善に陥りやすい。たとえば独学者として有名なイギリスの哲学者ハーバード・スペンサーは、優生思想を唱えました。ヒトラーもまた、独学で十九歳に税務署試験に通った独学者です。さらにプロの画家をめざしてウィーン美術アカデミーを受験したものの、不合格でドロップアウトしています。

教会に代わる美術鑑賞の場

佐藤　ところで、美術館という「場」はどこから生まれたものでしょうか。

宮下　大きくいえばフランス革命以降、いままで王侯貴族が独占していた美術品を市民に解放するという流れからです。一部の人間が特権的に享受してきた芸術を民衆にも鑑賞させる、という啓蒙主義の影響が大きい。

　啓蒙主義が台頭するまで、貴族以外の平民が美術に触れる場は教会でした。教会に立派な祭壇や聖画像が完成すると、それを目当てに多くの人びとが訪れるようになりました。しかしフランス革命以後、徐々に教会の力が弱まります。教会での美術鑑賞という動機付けが薄らぐのと並行して、世俗の受け皿としての美術館の台頭につながったと考えられます。

　教会に代わる美術鑑賞の場となった美術館は、宗教性から離れて絵画を見る世俗的装置として機能しました。啓蒙主義者は、神や聖母の像の霊性を抜きにした芸術が存在する、ということを市民に示そうとしました。

　中世の時代のイコンは崇敬の対象であり、人びとは聖像や聖母像を通じて神に触れていました。しかし近世以降、絵画は「有難いものであると同時に美しいもの」とされ、美術から宗教の側面が徐々に切り離されていく。人びとは「マリアを描いたから素晴らしい絵だ」とは思わず「ラファエロが描いたから素晴らしいマリアだ」と考えるようになったのです。

アジアの芸術は「民芸品」扱い

宮下　一方、世界規模で見ると、啓蒙主義時代の美術館や美術鑑賞はまだヨーロッパ中心の視点によるものでした。

日本や朝鮮、インドなどアジア諸国の絵画やオブジェは美術作品ではなく、民俗資料や民芸品の扱いでした。ルーブル美術館が収蔵するようなヨーロッパの作品があくまでも芸術であり、その他の地域のものは民族資料にすぎない、という見方です。しかし美術館が誕生する以前、「美術」には雑多なものが混在していました。美術館・博物館の原型の一つは、十五～十八世紀のヴンダーカマーと呼ばれる「珍奇なものを集めた宮殿の一室」でした。

芸術が市民権を得た時代から、美術館はあたかも市民の神殿のように特権化されました。しかし二十世紀の終わりごろから美術を見る目が相対化され、アジアや南米、アフリカなどヨーロッパ以外の絵画やオブジェの価値を評価する機運が高まりました。

西洋美術史の教科書がつくられたギャラリー

宮下　他方で大英帝国のイギリスを見ると、やはり美術館に関しても帝国主義的です。ギリシャのパルテノン神殿のフリーズ（浮彫り彫刻群）を梁ごと外し、エジプトで大規模発掘を行なって出土品を持ち帰る、ということを、二十世紀以降も行なっていた。だから美術館が市民社会に開かれたとき、圧倒的優位だったのは大英帝国のイギリスでした。

最近、東京と大阪で展覧会が開かれたロンドンにあるナショナル・ギャラリーは、いまでも世界で最もバランスの取れた、名品揃いの美術館です。ルーブル美術館は意外と玉石混交だけれども、ナショナル・ギャラリーは美術史を念頭に置いて精選されたコレクションです。

実際に行くと「見たことのある絵ばかり」という感想が出るのも当然で、同ギャラリーの作品をもとに西洋美術史の教科書がつくられた、という経緯もあります。「イギリスは自国の作品のレベルはさておき、収集に関しては世界一」

図48　ゴッホ《種まく人》1888年 クレラー＝ミュラー美術館（オッテルロー／オランダ）

図49　フェルメール《天秤を持つ女》1662−63年頃 ナショナル・ギャラリー（ワシントン）

といわれるのも、故なきことではありません。

アメリカの美術館もコレクションが素晴らしく、たとえばワシントンにあるアメリカ唯一の国立美術館であるナショナル・ギャラリーには、ルネサンスを代表するレオナルド・ダ・ヴィンチやラファエロらの作品をはじめ、幾多の傑作が収蔵されています。

じつはワシントンのナショナル・ギャラリーの名だたる作品は、もともとロシアのエルミタージュ美術館の所蔵品が多い。現在のエルミタージュは、じつは名品が買いたたかれた後の倉庫のようなものになってしまった。ロシアの革命政府はお金がないので叩き売りをしたからです。その主な売却先が二十世紀のアメリカであり、富のあるところに名作が集まる事実を証明しています。

二十世紀には映画館も誕生し、大衆の関心はアートからシネマへ流れていきました。「動かない絵」から「動く絵」に満足を覚える人びとの流れには抗しがたく、芸術を崇める文化は主に富裕層へとシフトしていきました。

画家は神を念頭に置いている

宮下　本書で話したとおり、絵の解釈は何通りもあります。ゴッホ[※87]の作品を見て何を感じるかは、見る者の自由です。

ただし忘れてはならないのは、画家の側は神を念頭に置いて作品を書いているということ。ゴッホは、父親がプロテスタントの牧師で、自身も牧師を目指した時期がありました。《種まく人》（２０８頁図48）を繰り返し描き続けたのは、『マルコの福音書』や『ルカの福音書』の種まく人のたとえによるものです。ここでいう種とは「神の言葉」のことです。地上に蒔かれた神の言葉が芽を出して生長し、豊かな実をつけて人びとに恩恵として救いをもたらす、という意味です。

信仰心の篤いゴッホは、現実のなかに神を見ようとしました。聖書に対する理解があれば、彼が陽光の差すドラマチックな色彩で農作業の風景を描いた意味がわかるし、ますます鑑賞が面白くなります。美術と宗教はこのように切っても切り離せない部分があります。

※87 ゴッホ　フィンセント・ヴィレム・ファン・ゴッホ。一八五三―一八九〇年。オランダ生まれ。ポスト印象派の画家。

なぜ日本人はフェルメールが好きなのか

佐藤　フェルメール※88の作品が日本で人気があるのはなぜでしょうか。

宮下　「キリスト教臭が薄い」と思っていることが大きい、と思います。日本人の多くは、美術にキリスト教の文脈が絡むと苦手意識を覚えがちです。印象派が好きなのも同じ理由で、ルノワールやモネの絵にはキリスト教の題材がほとんど出てきません。

フェルメールも《牛乳を注ぐ女》など、日常的な光景で題材が親しみやすい。王侯貴族も出てこないし、キリスト教を知らなくても理解できる、ということで皆が飛びついたのではないでしょうか。絵のサイズがコンパクトなのも大きい。日本人は往々にして、壁画のような巨大な作品より、小さめの作品を好む傾向があります。このように、フェルメールはあらゆる点で日本人好みなのです。

付言すれば、フェルメールは印象派の画家よりも単純に絵がうまい（笑）。昔と比べて日本人の鑑賞眼も成熟し、モネやルノワールの印象派だけでは満足で

※88 フェルメール
ヨハネス・フェルメール。一六三二－一六七五年。ネーデルラント連邦共和国（オランダ）の画家。バロック期を代表する画家の一人である。

きず、オールド・マスターと呼ばれる十八世紀以前の西洋絵画の源流への関心が芽生えてきたのだと思います。

「宗教色がない」という誤解

宮下　しかし、かといってフェルメールの絵画に「宗教色がない」と考えるのは誤解です。たとえば《天秤を持つ女》（208頁図49）は、キリスト教の「最後の審判」を念頭に描いた作品です。まず天秤を手に立つ女性の背後に画中画があり、最後の審判の様子が描かれている。そして審判者キリストの下、女性が天秤を持ち、大天使ミカエルのごとく「魂の計量」を行なう、という寓意です。

このように、西洋美術はキリスト教と分ち難く結びついています。日本でも仏画はもとより、水墨画も禅宗の教えが背後にある。わずかな墨を用い、限られた紙の上に真理を表現する、という信仰に根差した美のスタイルがあります。美術芸術には多かれ少なかれ宗教的要素が含まれており、両者は不可分です。

がたんに色や線の面白さだけで成立している、と考えるなら、やはり作品の価値を十分に味わっているとはいえません。

パンと葡萄酒をめぐる「偶像崇拝」論争

佐藤　しばしば「プロテスタントは美術を排除する」といわれます。しかし例外はルター派[※89]で、キリストの教えを説く際に絵も像も用います。

偶像崇拝に関して、「パンと葡萄酒」をめぐる聖餐論争があります。パンと葡萄酒がキリストの血肉として実体化する、と考えるローマ・カトリック以来のルター派の「実体変質説」に対し、改革派（ツヴィングリ派とカルヴァン派）はパンと葡萄酒を基本的に象徴と捉える象徴説を主張しました。実体変質説の考え方をカルヴァンやツヴィングリの系統は偶像崇拝である、として排除したのです。

スイスのジュネーブやスコットランドでカルヴァン派の教会に入ると、見事

※89 ルター派
人は信仰のみによって義とされる、すべての教理は聖書に基づくといった、ルターの福音と信仰理解に従う。ルーテル派ともいう。

なまでに殺風景で、まるで会議場のようにしか見えません。極端なところでは、十字架さえ見当たらない。そういう人びとは、美術はおろか、スポーツにも関心がありません。娯楽全般に関心が薄いのです。

では何に関心があるのか、といえば「自分の仕事」です。プロテスタントの考え方では、個人の適性は神によって選ばれており、天職があらかじめ与えられている。したがって趣味の世界には関心をもたず、労働者として勤勉であることが善とされます。

宮下　しかし佐藤さんとの対話で縷々述べたように、イコンをはじめ、宗教美術はそもそも偶像ではない。イコンも聖書自体も「目に見えないもの」に通じる窓であり、可視化されないものを信じるのが宗教なのです。

美術＝宗教

宮下　私は講義でよく「美術＝宗教である」といいます。一見、宗教と無縁の現代アートでさえ、背後には「目に見えないもの」の存在がある。代表的な例が、ポップアートの第一人者アンディ・ウォーホルの作品。工業製品や俳優を題材にしたシルクスクリーンの複製物であるにもかかわらず、作品が醸し出す不思議な雰囲気があります。

ドイツの哲学者ヴァルター・ベンヤミンは、それを「アウラ」という言葉で表現しました。作品の目の前に立ったときに感じるアウラは、たとえ複製であっても聖性を失わないイコンが与える効果と同じです。

佐藤　つまり、目に見えない聖霊の働きが作用している。

宮下　それはまさに宗教的な体験に近いものがあります。美術鑑賞とはベンヤミンがいう「アウラ」を感じる精神的な営みであり、いわば宗教行為の一つです。また私はよく、美術作品との出会いは一期一会だといいます。作品を見る機会は、じつは一生に一回しかない。二回目に見たときの印象は、最初と必ず異なるからです。その場で目にしたものは、二度と同じ状態では見られない。

美術は宗教を超える

宮下　加えて、美術にはセラピー（治療）的効果があるといわれます。過去の経験で負ったトラウマ（心的外傷）を解消させる絵画セラピーが、アメリカを中心に研究、実践されている。「場」との関連でいうと、美術館で絵を無心に見るうちに心が穏やかになり、苦しみが慰められる、という経験をした方もいるはずです。美術鑑賞は、神社という空間で手を合わせて心が清められるとか、教会で何も考えず椅子に座っているだけで気分が落ち着く、という行為と似た作用がある。

佐藤　その意味で美術は宗教と同じ意味合いをもつし、見方によっては「美術は宗教を超える」と思う。

カール・バルトは、マルクスとほぼ同じ趣旨で宗教批判を行なっています。端的にいえば、人間は自分の願望を起点に教義を組み立てて宗教にしている、というもの。それは「人間から神へのベクトル」を意味しています。

ところが、絵画というのは作品としてわれわれの外部に立ち現れる存在であって、人間が頭で考えて構築するものではありません。

宮下　これまで論じてきた「人の手を介さずに生まれたイコン」や「手で考えること」の例がまさにそうですね。

佐藤　完成した作品は、作者の意図とは別の存在です。作者の狙いを問うことは、あたかも隠されたものを開いていくようなプロテスタント神学的な啓示です。しかしこのアプローチは人間主義かつ近代主義の手法であり、そこからはキリスト教やイスラム教、仏教の本質的な「見えないもの」がこぼれ落ちてしまう。そうではなく、むしろ美術作品という独立したもの、人間が描いたにもかかわらず、人間の外部にあるものを通じて神を解釈していくというベクトルからキリスト教を知り、イスラム教の神、仏教の仏、神道の八百万の神々を知るというアプローチが求められている。その意味で、まさに「美術は宗教を超える」といってよいのではないでしょうか。

おわりに

本書における私の位置は、聞き手だ。対談というよりも、宮下規久朗先生へのインタビューといったほうが正確であろう。私にとっては、とても実りの多い仕事だった。

宮下先生は、自らとキリスト教の関係について語っていないが、日本キリスト教会に所属するプロテスタントのキリスト教徒だ。日本キリスト教会は、改革長老派（カルヴァン派）の伝統に立つ教会だ。本書で詳しく論じられているようにカルヴァン派は、イコノクラスム（聖画像破壊）を行なった。その関係もあり、改革長老派系の神学者は、美術に対する関心があまり高くないように思える。本書でわれわれは美術の意義を神学的に位置づけるという大胆な冒険に挑んだ。

私は、日本基督教団に属する。日本基督教団は、一九四一年に改革長老派（日本基督教会）、会衆派（日本組合基督教会）、メソジスト派（日本メソヂスト教会）など三十三会派が合同してできた教団だ。日本のプロテスタント教会が統合しようという内発的傾向と当時の軍部政府による宗教団体統合政策が入り交じってできた教団だ。日本基督教団は、日本のプロテスタント教会として存続している。一九五一年に旧日本基督教会に所属していた一部の人々が離脱して、寄り合い所帯ではなく、改革長老派の信仰を共有する人々で結成したのが日本キリスト教会だ。私は同志社大学神学部と大学院神学研究科で学んだ。同志社は会衆派に属するが、私は子どもの頃から日本キリスト教会の伝道所に通い、この会派に属する京都の吉田教会で大学一回生のときに洗礼を受けた。外交官になって数年してから、私は日本キリスト教会から日本基督教団の同志社系の教会に転会した。現在、私は同志社大学神学部と大学院神学研究科で組織神学（キリスト教の理論）を教えている。同志社大学神学部は、個別教会の自由を尊重する会衆派の伝統に立っているので、神学教育に関しても、教師の裁量に任されている。私の場合、神学的には改革長老派の影響が強いことを後輩たちに神学を教える過程で再認識した。

このようなキリスト教会の細々とした事情について説明したのは、宮下先生と私のキリスト教信仰が共通していることを読者に理解していただきたいからだ。コンピュータで言うならばOSが同じなのである。だからこの対談はとても円滑に進んだ。

宮下先生は、美術についてと同時に神学についても語っている。目に見えないが、確実に存在する神を信じることをキリスト教では説いている。同時に神は人間の目にまったく見えないわけではない。神はその独り子であるイエス・キリストをこの世に送った。イエス・キリストは、真の神で真の人だ。正教会、カトリック教会、プロテスタント教会のすべてで受け入れられている基本信条の一つである「カルケドン信条」(四五一年)には、こう記されている。

〈聖なる教父たちにしたがって、われらは皆声を合わせて告白する。われらの主イエス・キリストは、一にして同一なる御子であり、神性と人性においてまったく完全にして、まことの神にしてまことの人、理性的魂と体を持ち、神性においては御父と同質にして、人性においてはわれらと同質であり、罪を犯されなかった以外は、あらゆる点でわれらと等しくなられた。主イエス・キリストは、神性においては代々に先立って、御父より生まれ、人性においては、時満ちて、わたしたちのために、またわたしたちの救いのために、神の母なるおとめマリアより生まれた。この方こそ、一にして同一なるキリスト、御子にして主、唯一の、生誕された方、混じり合うことも、変化することも、分かたれることも、分離されることもなく、二つの本性において知られる方である。二つの本性の区別は、合一によっても取り消されることはなく、むしろ各本性の固有性は、保たれたまま一つの人格、一つの実体へと統合している。この方は、二つの人格に分かたれたり、分離されたりするようなことはなく、一にして同一の生誕した御子であり、神、御言葉、イエス・キリストであられる。〉

（関川泰寛／袴田康裕／三好明編『改革教会信仰告白集――基本信条から現代日本の信仰告白まで』教文館、二〇一四年、27頁）

イエス・キリストの人性（真の人であるということ）を通じてわれわれは神を知ることができるのである。イコン（聖画像）も聖書の人間によって作られたものだ。イコンそのものを崇拝する、聖書のテキスト、あるいはそこから派生した理論的に精緻な神学を崇拝することは、キリスト教が厳しく禁じる偶像崇拝だ。美術や神学を通して、その背後に確実に存在する神を想うことが、キリスト教的に正しいアプローチなのだ。

本書を上梓するにあたっては、ＰＨＰ研究所の白地利成氏、堀井紀公子氏、後藤淳一氏、永田貴之氏（順不同）にたいへんにお世話になりました。どうもありがとうございます。

二〇二一年三月三十一日、曙橋（東京都新宿区）の自宅にて

佐藤　優

宮下規久朗（みやした・きくろう）

美術史家。神戸大学大学院人文学研究科教授。1963年、愛知県生まれ。東京大学文学部卒業、同大学院修了。兵庫県立近代美術館、東京都現代美術館学芸員、神戸大学文学部助教授を経て、現職。イタリアの画家カラヴァッジョを中心に、16世紀のカトリック改革期から17世紀のバロックにいたるイタリア美術を研究。また、美術における宗教や権力、死や性といった観点から、広く古今東西の美術史を考察している。著書に『カラヴァッジョ—聖性とヴィジョン』（名古屋大学出版会、サントリー学芸賞受賞）、『カラヴァッジョへの旅』（角川選書）、『刺青とヌードの美術史』（NHKブックス）、『食べる西洋美術史』『ウォーホルの芸術』『美術の力』（以上、光文社新書）、『モチーフで読む美術史』『しぐさで読む美術史』（以上、ちくま文庫）、『ヴェネツィア』（岩波新書）、『闇の美術史』『聖と俗』（以上、岩波書店）、『そのとき、西洋では』（小学館）など多数。

佐藤 優（さとう・まさる）

作家。元外務省主任分析官。1960年、東京都生まれ。同志社大学大学院神学研究科修了後、外務省入省。在英日本国大使館、在ロシア連邦日本国大使館に勤務した後、本省国際情報局分析第一課において、主任分析官として対ロシア外交の最前線で活躍。2002年、背任と偽計業務妨害容疑で東京地検特捜部に逮捕され、2005年に執行猶予付き有罪判決を受ける。2009年に最高裁で有罪が確定し、外務省を失職。2013年に執行猶予期間を満了し、刑の言い渡しが効力を失った。2005年に発表した『国家の罠—外務省のラスプーチンと呼ばれて』（新潮社）で第59回毎日出版文化賞特別賞受賞。2006年に『自壊する帝国』（新潮社）で第5回新潮ドキュメント賞、第38回大宅壮一ノンフィクション賞、2020年に第68回菊池寛賞受賞。『獄中記』（岩波現代文庫）、『新約聖書（I）（II）』（解説、文春新書）、『十五の夏（上）（下）』（幻冬舎文庫）、『世界のエリートが学んでいる哲学・宗教の授業』（PHP文庫）など著書多数。

〈写真提供〉
装画および p.25 ARTOTHEK ／ユニフォトプレス
p.37,61,144,176,177 Alamy ／ユニフォトプレス
p.48 Imaginechina ／時事通信フォト
p.91 akg-images ／ユニフォトプレス
p.113 TNM Image Archives
p.152 AFP ＝時事
p.184 Bridgeman Images ／ユニフォトプレス

用語解説の文責は編集部にあります。
本文中、現在は不適切と思われる表現がありますが、
差別的な意図をもって書かれたものではありません。

美術は宗教を超えるか
2021年6月3日　第1版第1刷発行

著者　宮下規久朗
　　　佐藤優
発行者　後藤淳一
発行所　株式会社PHP研究所
東京本部　〒135-8137　江東区豊洲5-6-52
第一制作部　☎03-3520-9615（編集）
普及部　☎03-3520-9630（販売）
京都本部　〒601-8411 京都市南区西九条北ノ内町11
PHP INTERFACE　https://www.php.co.jp/
組版　宇梶勇気
印刷所　大日本印刷株式会社
製本所　東京美術紙工協業組合

ISBN 978-4-569-84944-7